Mijn eerste Van Dale

Mijn eerste Van Dale

voorleeswoordenboek

Eerste druk

Geschreven door
Liesbeth Schlichting
Betty Sluyzer
Marja Verburg

Getekend door
Paula Gerritsen

van **Dale** Utrecht–Antwerpen

Vormgeving en opmaak
Studio Tint (Huug Schipper), Den Haag

Lettertype
Productus

Druk- en bindwerk
DZS, Ljubljana, Slovenië

Mijn eerste Van Dale, eerste druk, derde oplage
Utrecht–Antwerpen; Van Dale Lexicografie
ISBN 90 6648 089 0
NUR 271, 627
D/2005/0108/708

Woord vooraf

We maken het allemaal mee: ons eerste woordje, onze eerste schooldag, onze eerste baan, onze eerste kus, ons eerste kind en... ons eerste woordenboek. Het woord 'woordenboek' is al snel synoniem met 'Van Dale' en wie 'Van Dale' zegt, denkt al gauw aan de *Grote* of *Dikke Van Dale*. Deze 'Dikke', die inmiddels 4300 pagina's telt, is sinds 1864 uitgegroeid tot het meest toonaangevende en betrouwbare woordenboek van de Nederlandse taal in Nederland en België.

Een woordenboek is een hulpmiddel bij het begrijpen en spreken van een taal. Onze taalontwikkeling duurt een leven lang. Ooit was er het moment dat we ons eerste woordje uitspraken of begrepen. Juist in de beginfase komt een hulpmiddel dat die taalontwikkeling ondersteunt en de woordenschat uitbreidt goed van pas. Daarom is er nu *Mijn eerste Van Dale*. Een écht woordenboek, om uit voor te lezen, gemaakt in de goede Van Dale-traditie: betrouwbaar en met zorg voor kwaliteit. Die aandacht en ambitie komen naar voren in de selectie van de ruim 1000 woorden, in de vrolijke illustraties en versjes en in de vormgeving van het woordenboek, kortom in de hele opzet. Een uitgebreid onderzoek onder ouders en peuters, peuterspeelzaalleidsters en (kinder)boekhandelaars heeft ons geholpen bij het maken van de keuzes. Dat heeft geleid tot een uniek, verantwoord en vooral zeer bruikbaar 'voorleeswoordenboek' voor kinderen vanaf het moment dat ze gaan praten.

We hopen dat alle kinderen die uit dit 'voorleeswoordenboek' woordjes leren, later - wanneer ze aan de Grote of Dikke Van Dale toe zijn - nog eens terugdenken aan hun allereerste Van Dale!

Graag bedanken we de volgende personen voor hun inbreng tijdens het vooronderzoek.

Ouders en peuters: Cora Berk en Martijn, Désirée Biermans en Ruud Stumpel en Suze, Eline Blaakmeer en Ruben, Ton den Boon en Laura, Barbara Bunschoten en Marit, Sarah Cestaro en Denes, Meije Gildemacher en Siemen, Olga Hendrikx en Siem, Norbert Herremans en Sanne, Jurgen Hildebrand en Stefan en Casper, Annemarie Hofstede-Louwerse en Simon, Wilma Kluiver en Noémi, Pieter Lieverse en Floor en Bas, Marijke Muskens en Bas, Ingrid Pijcke en Jelle, Gerdien van de Put en Nelle, Annelies Zijderveld en Jeroen.

Peuterspeelzaalleidsters/leerkrachten: Elly Aalbrecht, Dominiek Devos, Anita Griffioen, Simone van Soelen, peuterspeelzaalleidsters en peuters van peuterspeelzaal De Poeh in Utrecht.

Voor het Vlaams: Ludo Permentier.

Utrecht, mei 2005
Ferdi Gildemacher, *uitgever*

5

Mijn eerste Van Dale
een bijzonder boek!

Mijn eerste Van Dale is een bijzondere combinatie van een voorleesboek en een woordenboek: een voorleeswoordenboek dus. Het bevat de eerste ruim 1000 woorden die kinderen in Nederland en België zelf kunnen zeggen voordat ze naar school gaan.

Van de 1000 woorden staan er 750 als trefwoord in dit boek met een tekening en een rijmpje of versje. De tekening laat zien wat er bedoeld is en sluit aan bij het versje. Het versje vertelt wat meer over het woord. De overige 250 woorden zijn verwerkt in versjes (waar, dat ziet u op een lijst achterin).

Kortom: een rijk boek, dat op een speelse manier de taalontwikkeling van kinderen stimuleert en hun woordenschat uitbreidt.

Handig om te weten

• Op elke bladzijde staan zes woorden, met versjes en plaatjes. Voor de afwisseling is steeds één tekening groter gemaakt: daar is vaak wat meer op te zien. Dat betekent niet dat dat woord belangrijker is.

• Als trefwoord zijn zelfstandige naamwoorden, werkwoorden, bijvoeglijke naamwoorden en enkele andere woordsoorten opgenomen. Bij zelfstandige naamwoorden staat het bepaald lidwoord (*de* of *het*) vermeld.

• De woorden staan in alfabetische volgorde, in drie kolommen. Net als in andere Van Dale woordenboeken lees je de kolommen van boven naar beneden. Soms is – vanwege de grote tekening – de volgorde van het alfabet even doorbroken, maar het gezochte woord is altijd makkelijk te vinden.

• De trefwoordenlijst is gebaseerd op een lijst van 1000 woorden, tot stand gekomen door wetenschappelijk onderzoek naar de eerste woorden die kinderen spreken, hun actieve woordenschat dus (zie: *Taalachterstand en taalverwerving*, Schlichting en De Koning, 1998). De 500 vroegst geleerde woorden werden vastgesteld door aan ouders een lijst met woorden op te sturen, en hen te vragen aan te kruisen welke woorden hun kind spontaan zegt. Vervolgens werd de lijst aangevuld met gegevens van 100 jonge kinderen met wie gesprekjes werden gevoerd. Hieruit zijn woorden geselecteerd die in ten minste twee gesprekjes voorkwamen. Deze lijst werd aangevuld met woorden uit een bestaande lijst betreffende 4-jarigen. Bij het samenstellen van *Mijn eerste Van Dale* zijn we uitgegaan van deze 1000-woordenlijst. In het kader van *Mijn eerste Van Dale* werd de lijst met nog een aantal woorden aangevuld.

Enkele trefwoorden, zoals *das, dropje, drukken* (op de wc), *kleed, pan, pepernoot* en *poepen*, zijn in België minder gebruikelijk of hebben een andere betekenis.

• Achterin staat de volledige 1000-woordenlijst, én een lijst met de trefwoorden op onderwerp. De thema's zijn: bewegen, boerderij, boodschappen, bos, dieren, drinken, emoties, eten, feesten, huis, kleren, kleuren, knutselen, lichaam, mensen, muziek, school, schoonmaken, seizoenen, spelen, tuin, vakantie, vervoer, weer, ziek, zindelijkheid.

• Kijk ook op de website van Van Dale: www.vandale.nl of www.vandale.be. Hier vindt u meer informatie over de woorden, en tips voor het gebruik van *Mijn eerste Van Dale* op peuterspeelzalen, in kinderdagverblijven en op scholen.

Suggesties voor ouders

Mijn eerste Van Dale is een boek om uit voor te lezen. Alle versjes staan op zichzelf. Ritme, metrum en rijmschema zijn per versje verschillend. Het is goed om daar bij het voorlezen rekening mee te houden.

Er zijn allerlei manieren om dit boek te gebruiken: van a tot z; één woord per keer; één bladzijde per keer; twee bladzijden per keer; zoveel woorden of bladzijden als uw kind leuk vindt; één onderwerp per keer (zie de lijst achterin) of kriskras door het boek heen.

U kunt natuurlijk zelf bepalen hoe u uit dit boek voorleest: u kunt alleen het woord voorlezen en samen het plaatje bekijken; alleen het versje voorlezen en samen het plaatje bekijken; zelf iets vertellen bij een plaatje; uw kind laten vertellen wat het ziet op een plaatje en dan het versje of het woord voorlezen.

U kunt ook uw kind een plaatje laten aanwijzen en dan het bijbehorende versje voorlezen, of uw kind bijvoorbeeld een dier of een kleur laten noemen en dan het bijbehorende versje opzoeken en voorlezen.

Bij een aantal versjes kunt u samen met uw kind(eren) iets doen. Veel versjes zijn gericht op interactie. Het versje is een raadsel of er zit een vraag in. Je kunt er gebaren bij maken of een handeling nadoen.

En natuurlijk is het ook leuk om na het voorlezen van het versje bij het trefwoord *opdrinken* uw kind zijn of haar drinken te laten opdrinken, of uw kind zijn of haar eigen knuffelbeer te laten pakken voordat u het versje bij *beer* gaat voorlezen. Het is gemakkelijk om het verband te leggen tussen het versje en de dagelijkse leefwereld van de kinderen, omdat de woorden afkomstig zijn uit de woordenschat en de leefwereld van de kinderen zelf.

De kans is groot dat kinderen de versjes zullen onthouden, ze zelf gaan afmaken, ze zullen nazeggen en ze aan u gaan 'voorlezen'.

Versjes voorlezen, nazeggen en nadoen, bijpassende plaatjes bekijken, voorwerpen aanwijzen en daarover praten, met kinderen praten over het onderwerp van de versjes: het zijn allemaal bezigheden die bijdragen aan de taalontwikkeling, een grotere woordenschat, gevoel voor taal, klank, rijm en ritme en oriëntatie op de wereld. Ze stimuleren kortom de cognitieve, sociaal-emotionele en motorische ontwikkeling van uw kind(eren). Een prettige bijkomstigheid is nog dat door al dat voorlezen, praten en nadoen de kinderen straks gemakkelijker leren lezen.

Uw suggesties

We zijn benieuwd naar uw suggesties en commentaar. U kunt ons bereiken via redactie@vandale.nl.

Heel veel plezier toegewenst met *Mijn eerste Van Dale*!

Liesbeth Schlichting
Betty Sluyzer
Marja Verburg

a

aankleden

aaien

Jonge hondjes in de mand,
kijk hun staartjes zwaaien!
Als je 't zachtjes doet,
mag je ze wel aaien.

Aankleden.
Je bed uit gaan.
Pyjama uit en kleren aan.
En dan naar beneden gaan.

aanwijzen

Waar is de slak?
Wijs hem maar aan.
Langzaam zie je hem
verder gaan.

de aap

Dag gekke aap
met je grote mond
en je lange staart
en je blote kont.

de aardappel

Aardappels komen uit de grond.
De ene heeft bobbels,
de andere is rond.

de aardbei

Aardbeien aardbeien,
rood met groen,
ik ga er een paar
in mijn mondje doen!

achter

Waar zou toch mijn beertje zijn?
Zit hij soms achter het gordijn?

afpakken

Pim pakt de schoen van Tara af.
Tara is boos. Het is háár schoen.
Afpakken mag je echt niet doen.

achteruit

reintje rijdt naar voren,
n ook achteruit.
n je het horen?
n tjoek-geluid.

afvegen

Weet je wat ik heb gegeten?
'n Chocoladekoekje.
Nu moet ik mijn mond afvegen
met een schoonmaakdoekje.

afwassen

Vies is het bordje,
vuil is de beker.
Wij moeten afwassen,
dat weet ik zeker.

alleen

Daar zwemt een eendje,
helemaal alleen.
Waar zijn de andere eendjes heen?

de appelboom

Wat een dikke appelboom!
Heel veel appels op de grond.
Appels kun je eten.
Appels zijn gezond.

het appelsap

Dit is een pak met appelsap.
Een beker staat erbij.
Straks ga ik eruit drinken
want dat sap, dat is voor mij.

andersom

Schoenen aan?
Ga maar staan.
Nou zeg, dat is dom.
Ze moeten andersom.

de appel

Een gele en een groene appel
hangen aan een tak.
De gele ga ik plukken.
Die doe ik in een zak.

de appeltaart

Wil je wat lekkers?
Er is nog appeltaart.
Een heel lekker stukje
heb ik voor jou bewaard.

de arm

Dit zijn de armpjes
van kleine Saar.
Saar heeft haar armpjes
over elkaar.

b

B

de baby

De baby kan niet lopen.
De baby kan niet staan.
De baby kan wel kruipen.
Daar komt de baby aan.

de armband

Armbandje om.
Prinsessenjurk aan.
Kroon op het haar.
Prinsesje is klaar.

de auto

Een auto kan rijden,
toet-toet, op de weg.
Deze auto staat stil.
Deze auto heeft pech.

de baard

Sinterklaas, Sinterklaas
heeft een lange witte baard
en zijn paard, en zijn paard
heeft een lange witte staart.

het **bad**

Samen met papa
in het bad,
spelen en spatten.
Alles wordt nat.

het **badpak**

Dit mooie badpak doe ik aan
als we naar het zwembad gaan.

de **bak**

Poesje poesje, kom eens gauw.
Kijk eens in je bakje!
Daarin zit, miauw miauw,
een heel lekker hapje.

de **badkamer**

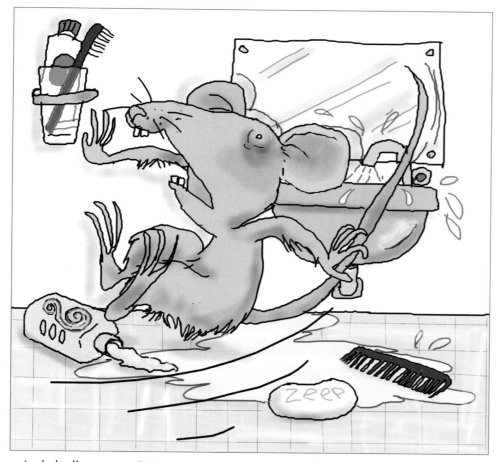

In de badkamer van Rat
ligt zeep en shampoo.
Nu is 't glad.
Rat ligt bijna op zijn gat.

bakken

Frietjes bakken in de pan.
Ik lust er wel honderd van.

de **bakker**

We gaan naar de bakker.
We kopen een brood
en ook nog wat koekjes.
Van brood word je groot.

de **bal**

Hij kan niet zitten.
Hij kan niet staan.
Hij kan wel rollen.
Wat komt daar aan?

de **banaan**

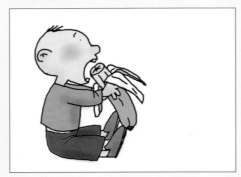

Dit is Sil.
Hij eet een banaan,
maar niet de schil.

de **bank**

Op een bank kun je zitten
met drie of met vier.
Hoeveel kinderen
zitten er hier?

ballen

De hond en ik
zijn aan het ballen.
Pak die bal,
laat hem niet vallen!

de **ballon**

Het blauwe ballonnetje
danst in het zonnetje.

bang

Ben jij wel eens bang
als er een hond aankomt
en als die hond gaat blaffen
en ook nog naar je gromt?

het **bed**

In het bed van tante Jet
liggen twee apen
heerlijk te slapen.

de **beer**

Ik heb een beer.
Mijn beer heet Klaar
en wij zijn altijd bij elkaar.

het **beest**

Er zit een beestje op de bloem.
Het beestje zingt heel blij
een vrolijk liedje: zoeme-zoem.
Dat beestje is een bij.

het **been**

Waar zijn de handjes?
Waar zijn de tenen?
Waar zijn de voeten?
En waar zijn de benen?

de **bek**

Een kind heeft een hoofd
en billen en een mond,
maar een dier heeft een kop,
een bek en een kont.

de **beker**

Soms drink ik uit een kopje.
Soms drink ik uit een kom.
Soms drink ik uit een beker.
Hier valt mijn beker om.

de **bel**

Druk je vinger op de bel.
Harder... tring...
hij doet het wel.

bellen

Ik ga even bellen.
Dat doe ik zo:
ik druk op de knopjes,
dan zeg ik: hallo.

beneden

Bob gaat naar boven
en Ben naar beneden.
Bob moet zich wassen
en Ben, die moet plassen.

de **berg**

Ferdinand speelt op het strand.
Hij maakt een berg, een berg van zand.
Maar waar is nou toch Ferdinand?

bewaren

Die steen wil ik bewaren.
Gooi die steen niet weg.
Hij mag niet in de prullenbak.
Hoor je wat ik zeg?

de **bezem**

Vegen, vegen met een bezem.
Alle kruimels moeten weg.
Vegen, vegen met een bezem.
Wat is het nu netjes, zeg!

het **bezoek**

Hoi, daar is opa!
Hij komt op bezoek.
Straks leest hij mij voor
uit mijn lievelingsboek.

binnen

Binnen, dat is in het huis
of in een groot gebouw.
En buiten, dat is in de tuin
en soms ook in de kou.

het **blaadje** (van papier)

17

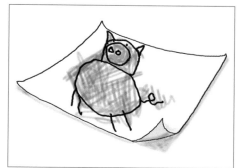

Ik teken op dit blaadje,
dit blaadje van papier,
een varken met een staartje
en het staartje dat zit hier.

bijten

Lopen doe je met je voeten.
Pakken met je handen.
Eten doe je met je mond
en bijten met je tanden.

de **billen**

Waar zitten je billen?
Ga eens op zoek.
In je trui
of in je broek?

het **blaadje** (van de boom)

De blaadjes waaien van de takken.
Probeer jij ze eens te pakken!

blaffen

Een poesje zegt miauw.
Een kippetje zegt tok.
En deze grote hond
blaft, woef-woef, in zijn hok.

blij

Ik ben blij, ik ben blij.
Ik lach en ik zing.
Ik dans en ik spring.
Ik ben heel blij. En jij?

het blikje

Dit ding is geen flesje.
Dit ding heeft geen dop.
Dit is een rood blikje
met sap. Drink maar op.

18

blauw

De wolken zijn wit.
De lucht is blauw.
En blauw is de hoed
van deze mevrouw.

blazen

Blazen, blazen, bellen blazen.
Kleine bellen, grote bellen.
Kun jij alle bellen tellen?

het bloed

Joost is gevallen.
Au au au!
Bloed op zijn knie.
Een pleister, gauw!

de **bloem**

Bloemen plukken,
rood met geel,
en groene blaadjes
aan de steel.

bloot

Broekje uit, hemdje uit.
Bloot in bad.
Lekker nat.
Spetterdespat.

de **boef**

Pief paf poef.
Dit is een echte boef.
Hij steelt en hij schiet.
Leuk is dat niet.

het **blok**

Een blok, een blok
en nog een blok.
Wie bouwt er met die blokken?
Dat is mijn broertje Okke!

het **boek**

Ik kan al lezen
in dit boek.
Hier staat *jas*
en daar staat *broek*.

de **boer**

De boer brengt de koe
naar het weiland toe.
Eet smakelijk, koe.
En de koe zegt: boe.

de **boerderij**

Een koe, een kip, een wei
met een boer erbij.
Dat is een boerderij.

boos

Papa wil niet
dat Roos snoept.
Roos is boos.
Ze schreeuwt en roept.

het **bord**

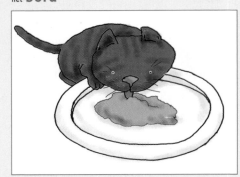

Snoes, de poes,
likt appelmoes
van het grote bord
van Joes.

de **boodschappen**

Naar de winkels.
Boodschappen doen.
Brood en kaas
en een grote meloen.

de **boom**

Een boom heeft veel takken
met blaadjes eraan.
Hij staat in een park,
in een bos of een laan.

de **boot**

Ik vaar in een bootje.
Ik vaar over zee
naar heel verre landen.
Vaar jij met mij mee?

het **bos**

Hier zie je heel veel bomen.
Dat noemen we een bos.
In 't bos wonen kabouters
en op de grond groeit mos.

de **boter**

Boter voor het bakken
en boter voor op brood.
Boter in de koelkast
en in de botervloot.

de **boterham**

Elke dag wil Miriam
pasta op haar boterham.

botsen

Bij een botsing botsen auto's
met een klap tegen elkaar.
Boem! De auto's zijn kapot.
Gauw naar de garage maar!

bouwen

Wat doet Douwe?
Blokken sjouwen.
Huizen bouwen.
Rode, gele, groene, blauwe.

boven

Twee kleine bedjes boven elkaar.
Beneden lig ik.
Boven ligt Saar.

bovenop

In de kast ligt speelgoed,
naast de kast een… pop.
Onder de kast staan… schoenen.
Wat zie je *bovenop?*

breken

Het kopje is gebroken.
't Was heel, maar nu is 't stuk.
Quinten liet het vallen,
écht per ongeluk.

de brief

Er ligt een briefje in de bus.
Ik vind je lief,
dat staat er.
Kus.

de brand

Help, help, vuur!
Brand in de koekenpan!
Is hier ook een brandweerman?

de brandweerauto

Táátúú… táátúú!
Aan de kant! Er is brand!
De brandweerauto moet er langs.
Er is brand! Aan de kant!

de bril

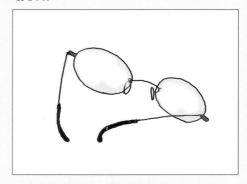

Een bril voor mijn ogen.
Daar kijk ik goed mee
naar de computer
en naar de tv.

de **broek**

Hier zijn twee broeken.
Eén is blauw, één is rood.
De rode is klein
en de blauwe is groot.

het **brood**

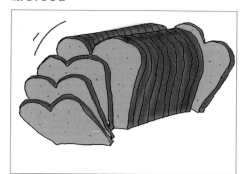

Brood is soms bruin.
Brood is soms wit.
Wit, bruin, bruin, wit...
Wat voor brood is dit?

het **broodje**

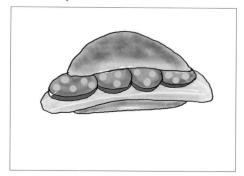

Het broodje van Mick
is echt superdik.
Hij heeft er banaan
én worst op gedaan.

de **broer**

Ik heb een zusje en een broer.
Mijn broertje is nog klein.
Hij ligt heel vaak te slapen
als wij aan 't spelen zijn.

de **brommer**

Broem broem broem.
Daar komt een brommer aan!
Hoor je hem, vroem,
door de straten gaan?

bruin

Veel dieren hebben de kleur bruin.
Je ziet ze in de dierentuin.
Bruine wolven, bruine apen,
bruine pony's, bruine schapen.

23

de buggy

Ik ga rijden in de buggy.
Beertje zit bij mij op schoot.
Straks mag ik de buggy duwen,
want eigenlijk ben ik al groot.

de buik

Mama heeft een dikke buik.
Daarin zit mijn broer of zusje.
Ik aai over mama's buik
en ik geef de buik een kusje.

de buikpijn

Marjolein ligt op de bank.
Wat zou er met haar zijn?
Ze heeft een beetje buikpijn.
Arme Marjolein!

buiten

Buiten is de zon.
Buiten is de straat.
Buiten is de speeltuin
waar ook de glijbaan staat.

de bus

Samen in de bus
met mijn grote zus.
We zitten netjes naast elkaar
en roepen heel hard: rijden maar!

C

het **cadeau**

Alsjeblieft,
dit is voor jou.
Een mooi cadeau.
't Papier is blauw.

de **cavia**

Wij hebben thuis twee cavia's.
Ze heten Stien en Steven.
En als ze honger hebben,
mag ik ze eten geven.

de **cd**

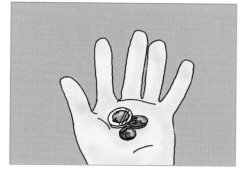

Tiereliedom, tiereliedee.
Ken je dit liedje van de cd?
Zing maar met het liedje mee.

de **caravan**

Op vakantie naar de zee.
Onze caravan gaat mee
en de auto rijdt ervoor.
Die moet heel hard trekken, hoor!

de **cent**

Weet je wat ik zie?
Ik zie drie centjes.
Eén, twee, drie.

de **chips**

Ik krijg van papa chips.
Die doe ik in een bakje.
En als ze op zijn, vraag ik
aan mama nog een zakje.

de **chocola**

Chocolade,
bruin en zoet.
Lekker snoepen.
Bruine snoet.

de **computer**

De computer staat aan.
Klik op de haan.
Wat zegt hij nu?
Kukeleku!

d D

de **clown**

De clown heeft mooie kleren aan.
De clown maakt leuke grapjes.
De clown heeft grote schoenen aan
en zet heel kleine stapjes.

de **crèche**

hummelhok

de **cola**

Een glaasje cola,
prikkeldeprik,
mét een rietje.
Dat wil ik.

Abdel gaat naar de crèche,
de crèche bij de moskee.
Zijn mama gaat hem brengen.
Hij neemt zijn tasje mee.

Papa gaat weg.
Hij gaf me een aai.
Dag papa, tot stra[l
Ik zwaai en ik zw[

het **dak**

dicht

dichtdoen

Mijn broek heeft een rits
en mijn jasje heeft knopen.
Die kan ik niet dichtdoen,
maar ik krijg ze wel open.

diep

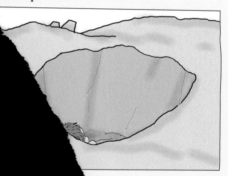

een kuil.
e kuil.
zegt Samuel,
ker wel.

Een olifant met grote oren,
een nijlpaard in de zonneschijn.
En moet je nou die tijger horen!
De dierentuin, daar is het fijn.

het **doekje**

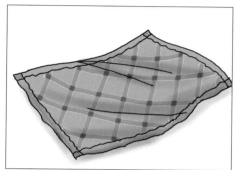

Wat heb je gegeten?
Je vingertjes plakken.
Ga maar gauw
een doekje pakken.

de **dokter**

29

Ben je ziek of heb je pijn?
Dan moet je bij de dokter zijn!
Een dokter is een vrouw of man
die je beter maken kan.

dik

Twee hele dikke varkentjes
zitten op een rij.
Het derde dikke varkentje
past er niet meer bij.

het **ding**

Wat is nu eigenlijk een ding?
Een ding is meestal klein.
Een armband, mesje of een knoop.
Het kan van alles zijn.

donker

De nacht is donker.
De nacht duurt lang.
Met 'n lampje aan
ben ik niet bang.

de **dood**

De poes van opa Dirk is dood.
Hij was heel lief en ook heel groot.
Nu ligt hij stilletjes in een doos
met op zijn buik een witte roos.

de **dorst**

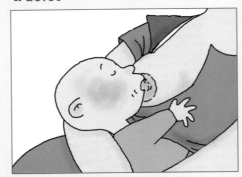

Baby heeft honger,
baby heeft dorst.
Baby gaat drinken
uit mama's borst.

de **douche**

Hier staat Loesje
onder de douche.
Ze houdt een paraplu omhoog.
Zo blijft Loesje lekker droog.

de **doos**

Een doos voor de blokken,
een doos voor de poppen
en een grote doos
om je in te verstoppen.

de **dop**

Op het flesje moet een dop.
Een blauwe dop.
Welke dop
moet er dan op?

douchen

Aap gaat douchen met Konijn.
Konijn wast Aap,
Aap wast Konijn.
Samen douchen is heel fijn.

de **draad**

Oma gaat naaien.
Eerst pakt ze een draad.
Die moet in de naald
voor ze naaien gaat.

draaien

Draaien, draaien in het rond.
Nu weer andersom.
Anders word ik duizelig,
en dan val ik om.

de **draaimolen**

De draaimolen draait.
Julia zwaait.
Het paard gaat telkens op en neer.
Julia wil nog een keer!

dragen

Papa, wil je mij dragen?
Ik ben een beetje moe.
Het is nog zo ver lopen
naar tante Liesbeth toe.

drinken

Olivier heeft erge dorst.
Hij drinkt geen thee.
Hij drinkt geen bier.
Raad eens: wat drinkt Olivier?

droog

Hier staat een hond.
De hond is nat.
Hij maakt zich droog.
Hoe doet hij dat?

het **dropje**

Uche… uche…
Jij hoest véél!
Hier zijn dropjes
voor je keel.

de **duif**

Duifje duifje, kom eens hier.
Kom eens dichterbij.
Ik heb een stukje brood voor jou.
Au, hé, pik je mij?

de **duim**

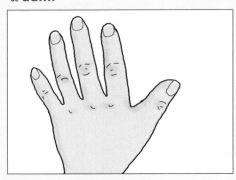

Vijf vingers heeft een hand.
Kun je ze bewegen?
De duim zit aan de kant.

drukken (duwen)

In de bus met papa.
Drukken op de knop.
Ik duw er met mijn vinger op.
En de rode lamp zegt: stop.

drukken (op de wc)

Drukken, drukken
op de wc.
Ik ben klaar!
Afvegen maar.

duwen

Anna mag duwen.
Kijk wat ze doet.
Ze rijdt heel voorzichtig.
Wat kan ze dat goed.

e E

het **ei**

Een lekker, lekker eitje.
Een eitje in de dop.
Sla dat eitje met een lepel
- tik tik - op zijn kop.

de **emmer**

Een emmertje met water,
een emmertje met zand.
Zo kan ik taartjes maken,
taartjes op het strand.

de **eekhoorn**

Dit is een eekhoorn.
Hij eet een noot.
Is zijn pluimstaart
bruin of rood?

de **eend**

Papa eend
zwemt in de sloot.
Geef jij de eendjes
wel eens brood?

het **elastiekje**

Ik heb een elastiekje,
en het is een beetje gek,
want het wordt steeds groter
als ik eraan trek.

eng

Niels is bang.
Een enge spin
kruipt poot voor poot
de kamer in.

eten

Wil je eten?
Kom dan maar.
Klim op je stoel.
Het eten is klaar!

het **feest**

Het is feest.
Wij zijn blij.
Marja is jarig.
Dat vieren wij.

f F

de **fiets**

Ik heb een fiets.
Een mooie fiets.
Een rooie fiets.
Ik heb een fiets!

fietsen

Ik fiets op mijn fiets.
Ik bel met mijn bel.
Ik trap op mijn trappers.
Kijk eens hoe snel!

de **film**

Ik kijk naar een film,
een film op tv.
Over dolfijnen
in de zee.

fluiten

Kun jij al een beetje fluiten?
Doe je lippen op elkaar.
Blaas door een klein gaatje
en dan fluiten maar!

de **foto**

Papa staat hier op de foto
bij zijn mooie nieuwe auto.

de **fles**

1, 2, 3, weet je wat ik zie?
4, 5, 6, ik zie een volle fles.
7, 8, 9, en ik zie ook een lege.

de **fluit**

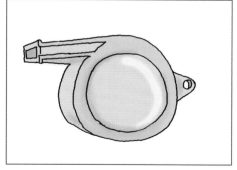

Ffffft!
Wat is dat voor geluid?
Dat geluid
komt uit een fluit.

fout

Een kind heeft een baard.
Een kind is oud.
Zeg ik dat goed
of zeg ik dat fout?

de friet

Mag ik nog wat friet?
Nee, dat mag je niet.
Nog meer patat?
Je hebt genoeg gehad.

de gang

Mijn laarzen moeten in de gang
en daar hangt ook mijn jas.
En onder de kapstok in de gang,
daar staat mijn papa's tas.

het gat

Anouk is gevallen.
Kijk eens, Anouk,
nu zit er een heel groot
gat in je broek.

het fruit

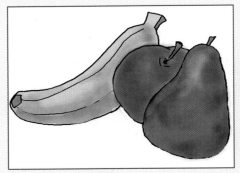

Wil je wat fruit?
Zoek maar uit.
Een peer, een appel, een banaan.
Je wilt de appel? Pak maar aan.

g

G

de garage

De auto's staan in de garage.
Ze staan netjes op een rij.
Hier komt nog een auto aan.
Die moet er ook nog bij.

geel

Geel is de zon.
Geel is de maan.
Geel is het kuikentje.
Wijs het maar aan.

het geld

Snoepjes kopen.
Snoepjes halen.
In de winkel
geld betalen.

geven

Frida geeft haar babyzusje
een cadeautje én een kusje.

de geit

De geit en de bok
wonen samen in een hok.
Dit is de geit.
Maar waar is de bok?

gek

Jelle doet gek.
Hij trekt een gekke bek.

gevaarlijk

37

Kijk uit! Gevaarlijk!
Stop! Blijf staan!
Er komt een grote auto aan.

het **geweer**

Hier kun je mee schieten.
Dit is een geweer.
Daarmee schieten jagers
soms dieren neer.

de **giraf**

Giraffen hebben lange nekken
en ze hebben bruine vlekken.

het **glas**

Een glas is van glas
en je kijkt erdoorheen.
Uit een glas kun je drinken.
Hier zie je er één.

het **gezicht**

Mijn babypop heeft een gezicht
met haartjes bovenaan,
een neus, twee ogen en een mond
waarin twee tandjes staan.

de **gieter**

Alle bloemen,
zegt Jan-Pieter,
geef ik water
met mijn gieter.

de **glijbaan**

Spelen op de glijbaan.
Even in de rij staan.
Dan naar boven klimmen.
Roetsj, daar kom ik aan.

glijden

Op de ijsbaan glijden.
Die is lekker glad.
Zoef, daar ga ik, en opeens
glijd ik op mijn gat.

gooien

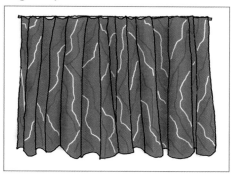

Pak het papiertje in je hand
en gooi het in de prullenmand.

de grap

Papa maakt een grapje.
Hij zegt: ik heb je neus
tussen mijn vingers.
Maar niet heus!

het gordijn

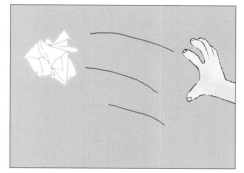

Naar bed, naar bed.
Gordijnen dicht.
Morgen weer open.
Dan is het licht.

het gras

Gras groeit buiten op de grond.
Ik ga daar spelen met de hond.

groeien

De boom die groeit
van klein naar groot.
En als hij oud is,
gaat hij dood.

groen

h H

Kikker met je groene jas,
waar ben je in het groene gras?

het haakje

Een haakje voor mijn jas.
Ik kan er nog niet bij.
Ik sta al op mijn tenen.
Mama, help je mij?

de grond

Onze poes
ligt op de grond
met een speelmuis
in haar mond.

groot

Hier is een ballon.
Hij is geel met rood.
Eerst was hij klein,
nu is hij groot.

de haan

Hoor je de haan?
Wat zegt hij nu?
Tokketok of kukeleku?

het haar

Het haar van Rob
staat stijf rechtop.

de hagelslag

Ik wil brood met hagelslag.
Maar weet je wat ik moet?
Eerst een boterham met kaas,
en dan pas één met zoet.

de hand

Oversteken,
hand in hand.
Samen naar de
overkant.

de handdoek

Met een handdoek droogt Raf
zich helemaal af.

de handschoen

Een handschoen is niet voor je voet.
Weet jij waar een handschoen moet?

hangen

Een dikke tak.
Wie hangt eraan?
Het is een aap
met een banaan.

de **hap**

Een hapje puree?
Nee, nee, nee.
Een hapje vla?
Ja, ja, ja.

happen

Kijk eens wat lekker!
Dit is voor jou!
Pak je lepel
en hap maar gauw!

hard

Bart slaat mij heel hard.
Slaan mag niet, hoor Bart!

heet

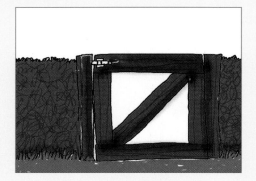

Een beker thee.
De beker is heet.
Blijf eraf,
pak hem niet beet!

het **hek**

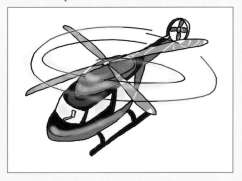

Het hek, het hek is dicht.
Je kunt niet verder lopen.
Klim er maar overheen
of doe het hekje open.

de **helikopter**

Een helikopter kan goed vliegen.
Het is een soort van vliegmachien.
Je hoort hem broemen in de lucht.
Je hebt hem vast wel eens gezien.

het **hemd**

Ik heb mijn nieuwe hemdje aan.
Vind je het niet heel mooi staan?

de **hijskraan**

Hele zware spullen
die aan een touw omhooggaan,
hangen aan de hijskraan.

de **hoed**

Een hoge hoed
heeft deze meneer.
Mevrouw draagt een hoedje
met een veer.

het **hert**

Hallo, dag hert tussen de bomen.
Durf je niet dichtbij te komen?
Jij bent groot en ik ben klein.
Je hoeft voor mij niet bang te zijn.

hetzelfde

Dit is een kat
en dat is een kat.
Ze zijn hetzelfde.
Zie je dat?

de **hoek**

43

In deze hoek liggen de poppen.
In die hoek staat een trein.
Ik speel graag in de poppenhoek
omdat daar knuffels zijn.

hoesten

Ik hoest, ik ben verkouden.
Ik moet mijn neus vaak snuiten.
Ik heb mijn warme kleren aan,
en ik mag niet naar buiten.

de hond

Een hond heeft vier poten,
een staart en een snuit.
Hij is aan het blaffen
want hij wil graag uit.

het hoofd

Mijn hoofd is rond.
Mijn hoofd is rond.
Met ogen en oren,
een neus en een mond.

44

het hok

De hond is in zijn hok.
In 't hok wordt hij niet nat.
Hij slaapt er en hij eet er
en hij kijkt er naar de kat.

hollen

Wie komt daar aan?
Dat is de muis.
Wat gaat hij snel!
Hij holt naar huis.

de honger

Heb je honger?
We gaan eten.
Weet jij hoe die sliertjes heten?

hoog

Laag is het gras.
Hoog zijn de bomen.
Heel hoog zijn de sterren.
Zo hoog kan ik niet komen.

i

het ijsje

Het is héél koud en zoet,
en als je 't langzaam eet,
dan smelt het in de zon.
Weet jij wel hoe dat heet?

huilen

Huilen van verdriet.
Huilen van de pijn.
Tranen in je ogen.
Nee, dat is niet fijn.

het huis

Dit is mijn huis.
Hier woon ik nou.
Het dak is rood.
De deur is blauw.

het ijs

Op ijs kun je lopen.
Op ijs kun je glijden.
Op ijs kun je schaatsen
en sleetje rijden.

45

in

Wat zie je in de boom? Een nest.
Wat ligt er in het nest? Een ei.
De mama-vogel zit erbij.

de **jas**

Het is winter.
Het is koud.
Als we vandaag naar buiten gaan,
doe ik mijn rode jasje aan.

de **jongen**

Op de foto staan twee jongens.
Ze spelen buiten met een bal.
De ene is mijn broertje Bart.
Zijn vriendje heet Bilal.

j J

de **juf**

De juf op school
weet heel veel dingen.
Zij leest ons voor
en leert ons zingen.

jarig

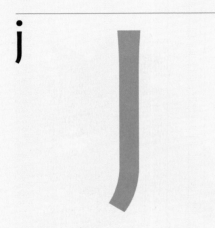

Wie is er jarig?
Ik weet het: Kaatje!
Hoeveel jaar is zij?
Kijk maar op het plaatje.

de juffrouw

Dit is mijn juffrouw,
juf Chantal.
Ze geeft me een kusje
als ik val.

k K

de jurk

Laurentien gaat zich verkleden.
Ze trekt de jurk van mama aan
en gaat dan voor de spiegel staan.

de kaars

Er staat een taart op tafel,
een taart voor kleine Saar.
Vier kaarsjes staan er op die taart,
want Sarah wordt vier jaar.

de kaart

Met de post komt een kaart.
Op de kaart staat een paard
met een strik in zijn staart.

de kaas

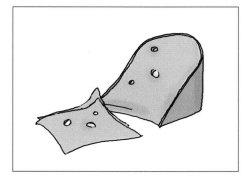

Plakjes kaas,
lekker dik,
op mijn brood.
Dat wil ik.

de **kabouter**

Daar zit kabouter Dolleboel
op zijn kleine schommelstoel
voor zijn eigen paddenstoel.

de **kachel**

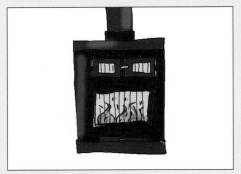

Natte kleren, natte haren,
bibberen van de kou.
Kruip maar bij de kachel,
want dan droog je gauw.

de **kamer**

Wat staat er in mijn kamer?
Een bed, een kast, een stoel.
Blokken, knuffels, auto's
en nog een heleboel.

de **kam**

Wat borstel je met een borstel?
Wat kam je met een kam?
Dat zijn natuurlijk je haren.
Dit is de kam van Bram.

kammen

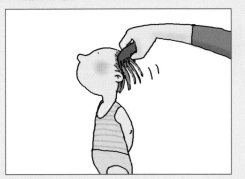

Mama kamt mijn haren
met een grote kam.
Ik krijg er leuke staartjes in.
Nu word ik mooi, hè mam?

kapot

Mijn fiets is kapot.
Hij doet het niet meer.
Ik kan niet meer fietsen!
huilt kleine Beer.

de **kapper**

Knipper-de-knip.
De kapper knipt Flip.
Hij knipt Flips haar.
Knip knip, doet de schaar.

de **kast**

Een kast met planken.
Een kast vol spullen.
Op de onderste plank
ligt het speelgoed van Frank.

het **kasteel**

Een huis waar ridders wonen,
zo'n huis heet een kasteel.
En een kasteel heeft torens.
Vertel me eens hoeveel?

de **kapstok**

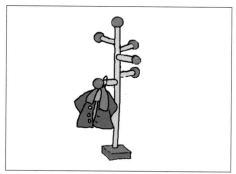

Jas op de grond? O nee!
Jas op de bank? Nee nee!
Jas aan de kapstok? Oké!

de **kar**

Boodschappen in het karretje.
Appels, boontjes, vis.
Ik mag het karretje duwen,
omdat het *mijn* karretje is.

de **kat**

Een kat is een poes
en een poes is een kat.
Een kat vangt muizen,
wist je dat?

de **keel**

Ben je ziek? vraagt mama Beer.
Ja, zegt Beer.
Mijn keel doet zeer.

de **kerstboom**

De kerstboom hangt vol
met lichtjes en ballen.
Eén kerstbal is kapotgevallen.

het **kerstfeest**

Bij het kerstfeest is het donker.
Maar dan maken we het licht
met sterren, kaarsen, engelen.
O, wat een mooi gezicht!

de **ketting**

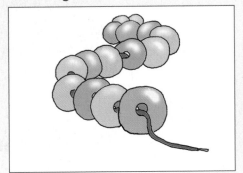

Een ketting maken,
ik weet hoe dat gaat.
Ik rijg de kralen
aan een draad.

de **keuken**

Ik zie in de keuken
een plank en een mes,
een muis, dat is leuk, en
een pan en een fles.

kiekeboe

Spelen met de baby.
Kijk eens wat ik doe!
Zie je me wel of zie je me niet?
Waar ben ik? Kiekeboe!

de **kiepwagen**

De kiepwagen staat stil.
Hij kiept het zand op straat.
Kijk toch eens
hoe mooi dat gaat!

kijken

Ik kijk met mijn ogen.
Daar zie ik mee.
Kijk, daar vaart een boot
heel ver op de zee.

de **kikker**

Kwaak, in de vijver,
kwaak, op een blad,
kwaak, zit een kikker.
Kwaak, zie je dat?

kietelen

Papa kietelt in mijn nek.
Het kriebelt. Ik moet lachen.
Het voelt een beetje gek.

kiezen

Melk of pap,
wat zal ik kiezen?
Ik kan niet kiezen, nee.
Ik wil het alle twee.

het **kind**

Hoeveel kinderen zie je hier,
één of twee of drie of vier?

de **kip**

Tok tok tok.
Twee kippen in een hok.
Straks leggen ze een ei
voor jou en ook voor mij.

de **kist**

De kist zit vol kleren
voor dames en heren,
piraten, prinsessen,
balletdanseressen.

klaar

Juf kleedt zich aan.
Ze kamt haar haar.
Horloge om.
Nu is ze klaar.

de **kiwi**

Vanbuiten is een kiwi bruin.
Vanbinnen is hij groen.
Je kunt er niet mee spelen.
Wat kun je ermee doen?

de **klap**

Flop geeft Flap
opeens een klap.
Een harde klap.
Au au, roept Flap.

klappen

Klappen in je handen,
weet jij hoe dat gaat?
Als de ene hand
tegen de andere slaat.

Mijn broer zit op school.
Dit is zijn klas.
Hij zit aan een tafel.
Zijn meester heet Bas.

kleien

Hoi, we gaan kleien!
Ik maak een dier.
Wat voor dier?
Dat zie je hier.

klein

53

Een olifant is groot
en een muis is klein.
Wat zou er nog kleiner
dan een muisje zijn?

het **kleed**

Een kleed op de tafel.
Een kleed op de bank.
Dit kleed op de grond
is het kleed voor de hond.

de **klei**

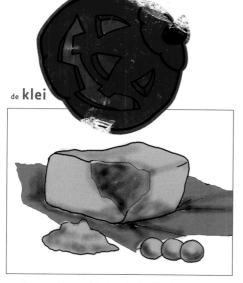

Ik maak van klei drie balletjes.
Drie balletjes van klei.
Ik leg de kleine balletjes
netjes op een rij.

de **kleren**

Zie je die twee beertjes staan?
Wat hebben ze voor kleertjes aan?
Truien met een bloem erop.
Gele mutsen op hun kop.

de **kleur**

Rood is de tomaat
en groen is de peer.
Welke kleuren weet jij nog meer?

klimmen

Klimmen gaat naar boven,
met je voeten één voor één.
Je klimt dus eerst met je rechter-,
en dan met je linkerbeen.

het **klimrek**

Aan het klimrek, aan de stangen,
kan ik aan mijn benen hangen.

54

kleuren

Kleuren in een kleurboek
met een kleurpotlood.
De lucht kleur ik groen
en de zee maak ik rood.

de **klok**

Tik-ke-tik, tik-ke-tik.
Wat hoor ik, wat hoor ik?
Het is het klokje aan de muur.
Hoe laat is het? 't Is zeven uur.

de **klomp**

Stimpe stampe stompe.
Kevin loopt op klompen.
Houten klompen heeft hij aan.
Vind je ze niet prachtig staan?

kloppen

Klop klop klop.
Wie is daar? vraagt Pop.
Ik klop, zegt Muis,
op de deur van je huis.

knijpen

Au, je knijpt!
Hé, dat doet pijn.
Je mag niet knijpen.
Je moet aardig zijn.

de knikker

Een zakje met knikkers.
Kijk dan, wat veel.
Welke kleuren?
Oranje, paars, geel.

knap

Kun jij op je tenen staan
en dan zwaaien naar de maan?
Knap hoor. Goed zo.
Goed gedaan.

de knie

Wijs je knieën maar eens aan.
Weet jij waar ze zitten?
Bij je vingers of je tenen?
Aan je armen of je benen?

knippen

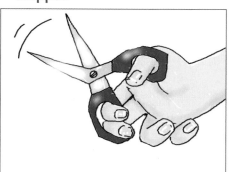

Knippen met de schaar?
Doe je wel voorzichtig!
Pak de schaar dan maar.

knoeien

Ik heb een lieve mama.
Ze geeft mij chocola.
Maar oei oei, als ik knoei,
dan zegt mijn mama: foei!

de knuffel

Alle knuffels op mijn bed
heb ik naast elkaar gezet.
Mijn konijn en mijn aap,
mijn giraf en mijn schaap.

de koe

Ze is zwart met wit.
Ze zegt vaak boe.
Haar kind heet kalf.
Het is een… koe.

de knoop

Mijn papa heeft een overhemd,
met allemaal kleine knopen.
Daarmee doet hij dat overhemd
eerst dicht en dan weer open.

de knop

Een knop, een knop,
wat doe je ermee, wat doe je ermee?
Je drukt erop, je drukt erop
en floep floep! uit is de tv.

het koekje

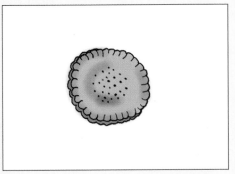

Dit is een koekje,
zoet en rond.
Ik stop het strakjes
in mijn mond.

de **koelkast**

Boter, kaas en eieren
en een grote kippenbout.
Pakken melk en worteltjes:
in de koelkast staan ze koud.

de **koffer**

Ik heb een eigen koffertje
en als ik ga logeren
dan gaat mijn koffer mee
met knuffels en met kleren.

koken

Papa is in de keuken.
Hij maakt het eten klaar.
En als hij klaar met koken is,
dan eten we met elkaar.

de **koffie**

Druppel drup. Opa zet koffie.
Pruttel prut, de koffie is klaar.
Suiker, melk, even roeren.
Niet te heet? Drinken maar.

de **komkommer**

Weet jij wat een komkommer is?
Lang en groen en
lekker fris.

het **konijn**

Babykonijntjes,
hele kleintjes.
Tel je mee?
Het zijn er twee.

de **koning**

Ik ben koning Sperzieboon.
Op mijn hoofd heb ik een kroon.
Deze stoel, dat is mijn troon.
Een paleis is waar ik woon.

de **kop** (hoofd)

De gestreepte kat
likt zijn pootje nat.
Hij wast zijn kop,
maakt zijn haartjes glad.

kop (op z'n kop)

Beer gaat springen.
Eén twee, hop.
Kijk, nou staat hij
op zijn kop.

de **kont**

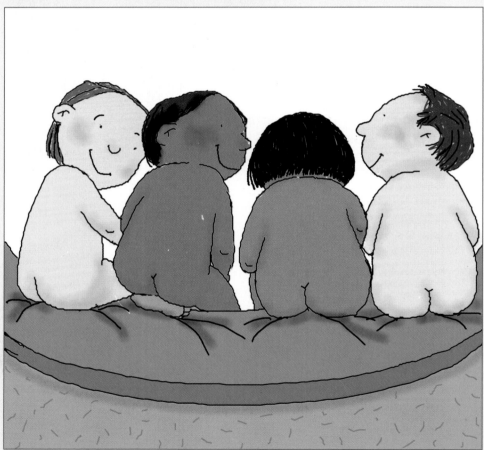

Ga eens zitten op je billen.
Ga eens zitten op je kont,
op een stoel, of op een kussen,
of gewoon maar op de grond.

het **kopje**

Eén kopje voor de koffie,
één kopje voor de thee.
Hoeveel kopjes zijn dat?
Zijn het er drie of twee?

koud

Je hebt het koud, hè?
Je lippen zijn blauw.
Je staat te bibberen
van de kou.

de **kous**

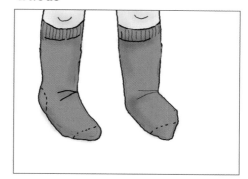

Loop je op je blote voeten?
Doe maar gauw je kousen aan!
En je schoenen ook natuurlijk.
Klaar? Je mag naar buiten gaan.

de **kraal**

Ik maak een lange ketting
van mooie dikke kralen.
Een kraal heeft een klein gaatje.
Daardoorheen doe ik een draadje.

de **krant**

Opa leest de krant.
De krant is van papier.
Ik vouw een hoedje van de krant.
Dat hoedje zie je hier.

de **kraan**

Er spettert water
uit de kraan.
Wie heeft de kraan
niet dichtgedaan?

krassen

Krassen met een kleurpotlood.
Met geel en dan met rood.
Zie je wat het is?
Een rood met gele vis.

krijgen

Dit meisje is jarig.
Ze heet Margootje.
Ze krijgt van haar oma
een mooi cadeautje.

het **krijtje**

Tekenen op de stoep.
Tekenen op straat.
Dat doe je met een krijtje.
Hier zie je hoe dat gaat.

de **krokodil**

Krokodil, wat heb je
toch een gekke nek!
Wat een scherpe tanden!
Wat een grote bek!

kruipen

Een slak heeft geen poten.
Hij heeft er geen één.
Hij loopt niet, hij zwemt niet,
hij kruipt ergens heen.

de **kring**

Ik loop, ik spring,
ik lach, ik zing
met mijn vriendjes
in de kring.

het **kuiken**

Tik, doet het kuikentje.
Tik tik tik.
Dag mama kip,
hier ben ik.

het **kusje**

Ik geef mijn beer drie kusjes.
Eén kusje op z'n kin,
twee kusjes op z'n wangen.
En nu je bedje in!

het **kussen**

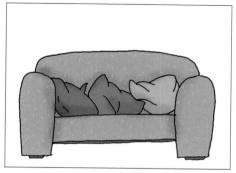

Er liggen kussens op de bank.
Een rode, een groene, een gele.
Die zijn om op te liggen
en ook om mee te spelen.

de **kwast**

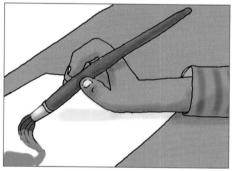

Lekker verven met een kwast.
Heen en weer. Op en neer.
Ik houd de kwast heel stevig vast.

kwijt

Achmed is zijn rugzak kwijt.
Hij zoekt en zoekt.
Hij vindt hem niet.
Zie jij wel wat hij niet ziet?

L

de **laars**

Mijn laarzen zijn te klein.
Mijn tenen doen zo'n pijn.
We moeten nieuwe laarzen kopen.
Ik wil weer in de plassen lopen.

lachen

Het clowntje huilt.
O nee, wacht.
Hi ha ha,
het clowntje lacht.

het lammetje

Wat springt en huppelt daar?
Is het een poes, is het een aap?
Welnee, het is een lammetje.
Dat is een babyschaap.

de lamp

In mijn kamer is het donker.
Mag het kleine lampje aan?
Als er dan een beetje licht is,
kan ik lekker slapen gaan.

het lawaai

Drrrrrr… moet je eens horen!
Buurman is aan 't boren.
Wat een lawaai!
Vingers in mijn oren.

lang

Héél erg lang
is de brandweerslang.

leeg

Mijn beker is leeg.
De melk is op.
Ik zet mijn beker
op zijn kop.

de leeuw

Dit sterke dier heeft dik, lang haar.
Zijn jonkies spelen met elkaar.
Zijn brul klinkt als een schreeuw.
Dit dier, dat is een leeuw.

lekker

Een lekkere lolly.
Lekkere drop.
Lekkere snoepjes.
Zuig er maar op.

de letter

Huug kan al letters lezen.
Kijk, hier staat: hallo!
Hij kan één letter schrijven.
Dat is de letter o.

het licht

Ik ga bij de lamp staan.
Ik druk op de knop
en hopperdepop...
het licht gaat aan.

het lekkers

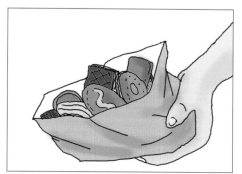

Ik mag iets lekkers en ik pak
het grootste koekje uit de zak.

lezen

63

de lepel

Met je vingers eet je snoep.
Met een lepel eet je soep.
Met een lepel eet je vla.
Eet je met een lepel sla?

Mama, wil je 'n boekje lezen
over Tijn of Boelie Beer?
Jij leest voor, ik kijk de plaatjes,
en dan doen we 't nog een keer.

het liedje

Ik breng mijn pop naar bed,
want zij is heel erg moe.
Ik zing voor haar een liedje
van noenoe, noenoe, noe.

de lift

Met de lift naar boven.
Kijk eens of dat lukt.
De lift gaat pas omhoog
als jij op 't knopje drukt.

liggen

Wie ligt er op mijn bed?
Daar ligt een grote kat.
Weg kat, daar moet ik liggen!
Ga jij maar op de mat!

64

lief

Lief is mijn broertje Rik.
Lief is mijn papa.
Lief is mijn mama.
En het allerliefst ben ik.

lijken

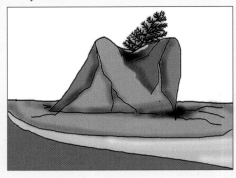

Ik zie een berg.
Een berg met een boom.
Kijk nog eens goed.
Het lijkt wel een hoed.

de lijm

Plakken met plaksel.
Plakken met lijm.
Wat ik ga maken?
Dat is nog geheim...

likken

Zie je dat meisje?
Ze likt aan een ijsje.

de lip

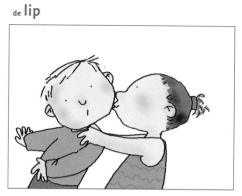

Mitzy doet haar lippen
op de wangen van Jeroen.
Ze geeft Jeroen een kusje.
Ze geeft Jeroen een zoen.

de lolly

Lekker likken aan een lolly.
Lekker likken, langzaam aan.
Lolly's zijn heel zoet. Ze plakken.
Kom er liever maar niet aan.

de limonade

Appelsap en limonade.
Limonade zonder prik.
Limonade uit een pakje,
uit een flesje of een blik.

lopen

Een stap, een stap
en nog een stap.
Baby loopt.
Zo, dat is knap!

de lucht

Kijk eens naar de lucht.
Kijk eens omhoog.
Regent het
of is het droog?

de **luier**

Ga maar eventjes mooi liggen.
Je krijgt een schone luier aan.
Nee, nog even blijven liggen.
Klaar! Nu mag je weer gaan staan.

ᵐM

de **maan**

Witte maan.
Ronde maan.
Ik zie je 's nachts
aan de hemel staan.

66

luisteren

Heb jij twee oren?
Daar kun je mee horen.
Daar kun je mee luisteren,
ook als ik ga fluisteren.

lusten

Rico lust geen spruitjes.
Die wil hij niet.
Hij lust alleen maar
pasta en friet.

maken

Ik maak een huis.
Ik leg de stenen op elkaar.
De deur komt hier.
Het dak komt daar.

de **mama**

Mama, ik vind jou de liefste,
de liefste die ik ken.
Ik ga jou een kusje geven
omdat ik jouw kindje ben.

de **mandarijn**

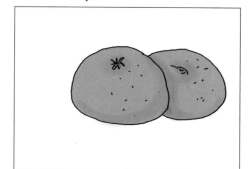

Het lijkt een kleine sinaasappel.
Maar dan zoeter. Soms met pitten.
Wat zou het zijn?
Een… mandarijn.

meenemen

Wat neem ik mee naar bed?
Mijn beertje Bernadet,
mijn auto en mijn pet.

de **man**

Dit is Twan.
Eerst was hij een jongen,
nu is hij een man.

de **mand**

In de gang staat een mand.
Een grote rieten mand.
In de mand liggen poppen
en een knuffelolifant.

67

meegaan

Muis gaat mee met Beer.
En Beer gaat mee met Muis.
Ze gaan samen op de fiets.
Ze gaan naar Muis z'n huis.

het **meisje**

Is dit een meisje of een jongen?
En hoe kun je dat nu zien?
Hebben meisjes andere kleren?
Hebben ze ander haar misschien?

68

de **melk**

Een beker melk,
drinken, slik.
Wat een mooie snor
heb ik!

de **mens**

Papa is een mens.
Mama is een mens.
Een hond is een dier.
Hoeveel mensen zie je hier?

de **meneer**

Dag meneer de koekepeer.
Ben jij echt wel een meneer?
Of ben jij Sebastiaan
met zijn vaders kleren aan?

het **mes**

Knippen doe je met een schaar.
Scheppen met een schep.
Weet jij wat voor ding ik hier
voor het snijden heb?

de **mevrouw**

Dit is mevrouw de Laat.
Zij woont hier in de straat.
Zij draagt altijd haar hondje
als ze uit wandelen gaat.

het **midden**

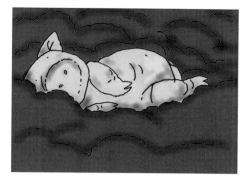

Een koe en een paard
op deze plaat.
Weet jij welk dier
in het midden staat?

de **modder**

Modder is vies.
Modder is nat.
Dit varken neemt
een modderbad.

moe

Heel langzaam gaan haar oogjes dicht.
Nu valt haar hoofd opzij,
zachtjes tegen papa's arm.
Zij is moe. En jij?

mis

Het propje in mijn hand
moet in de prullenmand.
O o, ik gooi mis!
Weet jij waar het is?

de **moeder**

Een moeder is een mama,
een mama van een kind.
Mijn moeder is de mama
die ik de liefste vind.

de **mond**

Wat doe je met je mond?
Lopen en springen?
Nee, eten en drinken
en praten en zingen.

mooi

Mama heeft een ketting om.
Die vind ik heel mooi staan.
Ik wil ook mooi zijn, mama.
Mag ik mijn jurkje aan?

de **muts**

De sneeuwpop
heeft een neus van drop
en een mutsje op zijn kop.

de **muur**

Bob gaat bouwen,
een huis met een schuur.
Hij stapelt de stenen
en maakt een muur.

de **motor**

De buurvrouw heeft een motor.
Ze rijdt altijd heel hard.
Ze heeft een zwarte helm op
en ook haar jas is zwart.

de **muis**

Wie piept daar in de gang,
achter het behang?
Dat is een grijze muis.
Die woont bij ons in huis.

de **muziek**

Pianospelen. Liedjes zingen.
Klingeklang en tralala.
Dominiek maakt hier muziek.
Zij leve lang. Hoera, hoera.

n N

de nacht

Het is donker. Het is nacht.
Iedereen doet stilletjes,
iedereen doet zacht.
Ssst.

nat

Nat word je van het douchen.
Nat zijn de tranen in je oog.
Nat zijn de straten van de regen
en de zon maakt ze weer droog.

naast

Het gezicht van de clown
is helemaal wit.
En zie jij
wie er naast hem zit?

de navel

Mijn allerbeste vriendje Nick
heeft een navel,
net als ik.

de nek

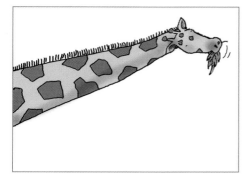

De giraf
strekt zijn nek
en pakt een blaadje
in zijn bek.

de **neus**

Met je oren kun je horen.
Met je ogen kun je zien.
En je neus is om te ruiken
en soms snuit je hem misschien.

O o

de **oma**

Oma is mijn lieve oma.
Zij woont met opa in een flat.
En als wij bij oma zijn,
mag ik springen op haar bed.

nieuw

Ik heb een nieuwe jas.
Hij heeft wel zeven zakken.
Zeven zakken en een rits.
Ik zal hem even pakken.

het **nootje**

Kijk, twee nootjes,
nootjes in de dop.
Eerst moeten ze open,
dan eet je ze op.

de **olifant**

Groot en grijs. Een lange snuit.
Daar spuit hij soms water uit.
Hij loopt langzaam door het zand.
Dit dier is… een olifant.

omdraaien

Wat staat er op die tekening?
De pop staat op haar kop!
Kun je haar even omdraaien?
Dan staat de pop rechtop.

omgooien

Boris bouwt een toren.
Gerard gooit hem om.
Hou nou op, zegt Boris.
Ik vind jou heel stom.

omhoog

Wie gaat daar omhoog?
Dat is Kaatje Kip.
Samen met haar kuikentjes
zit zij op de wip.

omvallen

De kinderen spelen bij de tafel.
Oei, daar valt een kopje om.
Nu zijn alle spullen nat.
Ja, dat was een beetje dom.

onder

Onder een blauwe parasol
ligt kabouter Oliebol.

de onderbroek

Hé Adriaan,
doe je onderbroek eens aan!
Blijf niet in je blootje staan!

onderin

Een kast in de kamer.
Een plank onderin.
Daar liggen mijn poppen
en kijk eens... een spin!

het **oor**

Grote oren, kleine oren:
oren heb je om te horen.

op (opgegeten)

De koekjes zijn op.
Er zijn geen koekjes meer.
Ze zijn in de buik
van Aap en van Beer.

74

het **oog**

Ik zie met mijn ogen
kleuren en licht.
Soms doe ik ze open.
Soms zijn ze dicht.

de **oom**

Dit is oom Reinier.
Hij drinkt een glaasje bier.
En zijn geel met groene pet
heeft hij verkeerd om opgezet.

op (op stok)

In het grote kippenhok
zitten kippen op een stok.
Kakel, kakel, tok tok tok.

Opa, die maakt grapjes.
Opa zingt met mij.
Hij gaat met mij fietsen.
Opa is van mij.

open

Het doosje was dicht.
Nu is het open.
Er komt een rupsje
uit gekropen.

opendoen

Kleine Mimoen
kan in zijn eentje
de deur opendoen.

opbellen

Ik mag papa opbellen.
Ik ga hem vertellen
hoe lief ik hem vind.
Dag papa, met Ellen.

opdrinken

Ik heb mijn broodje opgegeten.
Een hele lekkere krentenbol.
Nu ga ik mijn melk opdrinken,
want de beker is nog vol.

opeten

De blaadjes van de boom,
die is de geit aan 't eten.
Straks heeft ze alle blaadjes
helemaal opgegeten.

ophangen

Jesse hangt zijn jasje op,
netjes aan de haak.
Er hangt nog een jasje.
Dat is de jas van Sjaak.

oppassen

Pas op, daar komt een fiets aan!
Blijf netjes op de stoep staan.

opruimen

Opruimen, dat ga ik doen.
Blokken horen in de bak.
Auto's moeten in de kast
en de poppen in een zak.

oprapen

Wat ligt daar op de grond?
Een glinsterend ding.
Ik raap het op.
Wat is het? Een ring!

opstaan

Wakker worden, opstaan.
Plassen, wassen,
kleren aan.

opzetten

Wat zet poes op z'n kop?
Een muts, een pet, een hoed?
De poes heeft hier een petje op,
en dat staat poes heel goed.

oranje

Hoera, hoera, hoera!
De koningin is jarig.
Oranje vlaggen, oranje kleren
en oranje broodjes smeren.

oud

Deze oma is oud.
Haar haren zijn wit.
Ze heeft een bril
en een kunstgebit.

oversteken

Kuikentje wil oversteken.
Moeder Kip zegt: ho.
Netjes wachten op de stoep,
en dan gaan we zo.

de oven

Koekjes bakken, koekjes bakken.
Suiker, meel en boter pakken.
Alles kneden, alles prakken.
In de oven, even bakken.

p P

het paard

Klipperdeklop.
Paard in galop.
Paard in de wei.
Veulen erbij.

paars

Nou, dat is me ook wat raars!
Eén oor is wit,
het andere paars.

het **pakje**

In dit plastic zakje
zit een heel mooi pakje.
Het pakje is voor jou.
Wat is het? Kijk maar gauw!

pakken

Wil jij iets voor mij pakken?
Op tafel staat een bakje.
En uit dat bakje pak je
het kleine rode zakje.

78

de **paddenstoel**

Paddenstoelen in het bos
Rode en bruine en witte.
En... als je heel goed kijkt,
zie je kaboutertjes zitten!

de **pan**

In een pan kook je groente.
In een pan kook je vis.
Ik denk dat déze pan
voor de aardappels is.

de **pannenkoek**

Pannenkoeken bakken
in de koekenpan.
Eén met spek voor Sanne,
en één met stroop voor Stan.

de **pantoffel**

Ik heb twee tijger-pantoffels,
een tijger aan iedere voet.
Ik laat ze samen spelen.
Dat kunnen ze heel goed.

de **papegaai**

In de dierenwinkel
woont Krauw de papegaai.
Hij is blauw met groen en geel
en hij maakt veel lawaai!

het **papier**

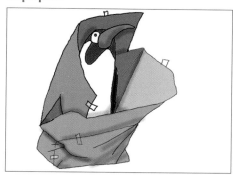

Kijk eens hier.
Dit knuffeldier
zit in een zak.
Een zak van papier.

de **pap**

Mouab eet een bordje pap.
Jammie, lekker, zegt Mouab.
En dan neemt hij weer een hap.

de **papa**

Papa, papa, til je mij?
Dan ben ik groot.
Groter dan jij.

de **paraplu**

Ik word nat, zei de kat.
Wat nu?
In de gang, zei de slang,
staat een paraplu.

passen

Hassan heeft verdriet.
Hij heeft nieuwe schoenen.
Maar... ze passen niet!

de **patat**

Wat je hier ziet?
Weet je dat niet?
Patat met mayonaise.
Een grote zak met friet.

de **pauw**

De trotse pauw
heeft mooie veren,
groen en blauw.
Had ik maar zulke mooie kleren...

80 de **pasta**

Ik ben drie.
Ik ben al groot.
Ik smeer zelf pasta
op mijn brood.

de **peer**

Ik neem een hap,
een hap van de peer.
Mmm, dat is lekker!
Ik wil nog meer.

de **pen**

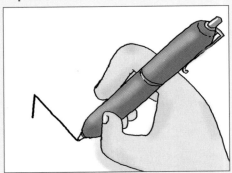

Je kunt schrijven met een stift,
met een potlood of een pen.
Kun jij op het plaatje zien
waarmee ik aan 't schrijven ben?

de **pepernoot**

Pi-pa-pepernoten.
Zwarte Piet staat op het dak.
Zwarte Piet strooit pepernoten
uit een hele grote zak.

de **pijn**

Ach, ben je gevallen?
En waar doet het pijn?
Een pleister en een kus erop.
Dan zal 't gauw over zijn.

pikken

Aap pikt een koekje.
Aap is stout.
Pikken is stelen
en dat is fout.

de **pet**

Wat heeft die meneer
op zijn hoofd gezet?
Een hoed of een muts
of een blauwe pet?

de **piemel**

Wat je op dit plaatje ziet:
de jongen heeft een piemel
en het meisje niet.

de **pil**

Elke dag een pilletje.
Elke dag een pil.
Dat pilletje moet ik slikken,
ook als ik het niet wil.

de **pinda**

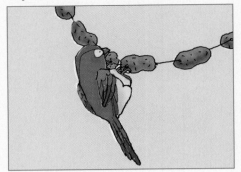

Heel veel pinda's
aan een touw
voor de vogels
in de kou.

de **pindakaas**

Weet je wat ik elke dag
op mijn bruine broodje mag?
Pindakaas met hagelslag!

het **pistool**

Ik heb een pistool.
Pang pang! Ik schiet!
Wees maar niet bang:
hij doet het niet.

de **pinguïn**

Dag meneer de pinguïn.
Dag deftige meneer.
Met je zwart-met-witte pak aan
ben je heus een echte heer.

de **pizza**

Een pizza met kaas
en worst en tomaat
die straks in een
hete oven gaat.

het **plaatje**

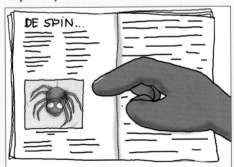

In dit boek
op het plaatje
hangt een spin
aan een draadje.

de **plaats**

Daar zit papa op de bank.
En mama zit erbij.
Ik wil ook graag op de bank.
Is er nog plaats voor mij?

de **plant**

Op de muur,
op de rand,
staat een plant
in een mand.

de **plas** (regen)

Stampen in de plassen,
stampen op de grond.
Grote druppels water
spatten in het rond.

plagen

Claudia staat op mijn voet.
Claudia, dat is niet goed!
Claudia trekt aan mijn oor.
Claudia, niet plagen hoor!

plakken

Britt heeft geknipt en heeft geplakt
met plaksel en papier.
Ze heeft een papegaai gemaakt,
Kijk wat een mooi dier.

de **plas** (wc)

Mohammed heeft een plas gedaan,
mooi op de wc.
Maar het plasje van de poes,
ligt naast de bak, o wee.

plassen

De hond gaat bij een boom staan.
Hij tilt zijn pootje op
en plast ertegenaan.

84

de **pleister**

De jongenspop viel op zijn kop.
Au! Daar moet vlug
een pleister op.

de **plons**

Oma schilt de aardappels.
Han gooit ze in de pan.
Plons, doet de aardappel.
Goed gedaan hoor, Han!

de **plasser**

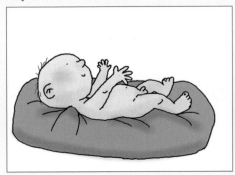

Dit is een baby zonder kleren.
De baby heet Marijn.
Zie je ook zijn plassertje?
Zou Marijn een meisje zijn?

plat

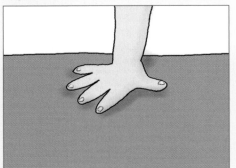

Leg je hand eens plat op tafel.
Doe je vingers uit elkaar.
Hoeveel vingers liggen daar?
Eén, twee... tel ze maar.

de **poep**

Bah, poep.
Poep op de stoep.
Trap er niet in,
in die hondenpoep.

poepen

Winnie zit op de wc.
Haar billetjes zijn bloot.
En weet je wat ze roept?
Mama, ik heb gepoept!

de politie

Politieman, politievrouw.
Hun jassen en petten zijn blauw.
Ze zijn heel sterk.
Dat moet voor hun werk.

de politieauto

Dit is mijn politieauto.
De deur kan open en dicht.
Op het dak zit een sirene
en een mooi blauw licht.

de poes

Wij hebben thuis een poesje,
Zwart met een beetje wit.
Je ziet hier hoe zij op de mat
bij onze voordeur zit.

poetsen

Poets je tanden elke dag.
Maak ze maar mooi schoon.
Poetsen, poetsen, heen en weer,
op en neer en nog een keer.

de poort

Dikkie en Doortje
maken een poortje.
En nu loopt Noor
eronderdoor.

de **poot**

Hebben eendjes beentjes?
Hebben eendjes teentjes?
Varen ze in bootjes?
Hebben ze twee pootjes?

de **poppenkast**

Wat doen die poppen allemaal,
in die grote poppenkast?
Wij kijken wat de poppen doen,
en de juf, die houdt ze vast.

86

de **pop**

Dit is mijn liefste pop.
Ze heeft haar nachthemd aan.
Ik geef haar gauw een kusje.
Dan kan ze slapen gaan.

het **poppenhuis**

In het houten poppenhuis
staan twee wc's,
stoeltjes en tafels
en drie tv's.

de **poppenwagen**

Fatima heeft grote poppen.
Ze kan ze niet allemaal dragen.
Daarom liggen deze poppen
in de poppenwagen.

de **portemonnee**

Boodschappen doen.
Wat nemen we mee?
Een tas, en geld
in de portemonnee.

het **potje**

Kijk, dit is Lotje.
Ze zit op het potje.
Als Lot een plasje heeft gedaan,
dan kan Lotjes broek weer aan.

prikken

Met de punten van een schaar
moet je heel voorzichtig zijn.
Want daar kun je je aan prikken.
En dat prikken, dat doet pijn.

proberen

Staan op één been,
dat wil ik leren.
Ik vind het heel moeilijk,
maar ik ga het proberen.

het **potlood**

Paula tekent met een potlood
een hele grote beer
en een rode auto.
En wat zie je nog meer?

de **prik**

Dik krijgt een prik.
Het voelt even raar,
maar 't is gauw klaar.
Gelukkig maar.

de **prinses**

87

Ken jij prinses Amalia?
Zij woont in een paleis.
Zij heeft een gouden kroontje op
en eet alleen maar ijs.

de prullenbak

De zak is leeg.
De chips zijn op.
Wat doen we met de lege zak?
Die moet in de prullenbak.

de punt

Dit potlood heeft een scherpe punt
zodat je er goed mee tekenen kunt.

de pyjama

's Avonds, voor het slapen gaan,
trek ik mijn pyjama aan.

de puzzel

Ik ga een mooie puzzel maken.
Dit hoort hier, en dat hoort daar.
En dit stuk moet in het hoekje.
Zo, nu is de puzzel klaar.

q **Q** r **R**

het **raam**

Het is van glas.
Het heeft een gordijn.
Je kunt erdoor kijken.
Wat zou het zijn?

de **raceauto**

Broem. Raceauto racet.
Vroem. Raceauto sjeest.
Ho! Raceauto, stop!
Oh! Over de kop!

de **radio**

Hé, ik hoor praten!
Waar komt dat vandaan?
Nu hoor ik muziek.
Is de radio aan?

raar

Raar, dat is een beetje gek.
Gek is een beetje raar.
Kijk maar op het plaatje:
heel raar is die gitaar.

de **rails**

Tuut tuut, daar komt de trein.
Kijk eens hoe hard die gaat!
De trein rijdt op de rails
en niet over de straat.

de **regen**

De grote zwarte kat
loopt langzaam door de regen.
Hij wordt een beetje nat,
maar daar kan hij wel tegen.

regenen

Het regent, het regent.
Ik pak gauw m'n jas.
Ik doe mijn rode laarzen aan
en stap dan in de plas.

rennen

Als je rent, dan loop je hard.
Dat zie je hier aan Hildegard.
Ze rent het hardst van allemaal,
van Amsterdam naar Bloemendaal.

de **reus**

Een reus is reuzegroot.
Hij zet reuzenstappen.
En met zijn reuzenmond
neemt hij reuzenhappen.

de **riem**

Mijn broek zakt af.
Ik heb geen riem.
Mag ik misschien jouw riem,
Maxime?

het **rietje**

Hoe drinkt Anne chocomelk?
Zij drinkt die met een rietje.
Als ze genoeg gedronken heeft,
eet Anne een biscuitje.

de **rij**

Eén twee drie
vogels op een rij.
Eentje in de lucht.
Die hoort er niet bij.

rijden

Victor rijdt op een tractor.
Aart rijdt op een paard.
Wie is Victor?
Wie is Aart?

de **rok**

Danseresje, dansprinsesje
met haar mooie rokje aan,
kan hoog op haar tenen staan.

rollen

Ronde dingen kunnen rollen.
Ballen rollen.
Knikkers rollen.
Kunnen krentenbollen rollen?

de **ring**

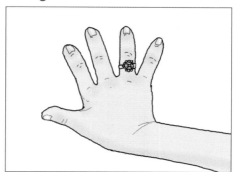

Wat zit er aan die vinger?
Wat is dat voor een ding?
Het heeft een steentje en 't is rond.
Het is een mooie... ring.

roeren

Yoghurt, vla en suiker.
Dat moet door elkaar.
Pak een grote lepel
en dan roeren maar.

de **rommel**

Er ligt rommel op straat:
een blikje en een zak.
Waar hoort die troep?
In de vuilnisbak.

rond

Rond is de bal,
en rond is de zon.
Rond is de buik
van Beertje Bonbon.

de rozijn

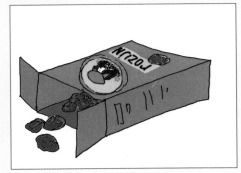

Rozijnen in een doosje
voor kleine Isabel.
Ze krijgt ze in de winkel
en zegt dan: dank je wel!

de rug

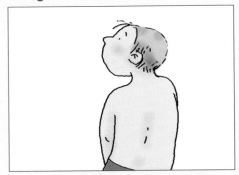

Mijn rug zit niet van voren.
Mijn rug zit niet opzij.
Mijn rug, die zit van achteren.
Kijk maar eens goed naar mij!

rood

Rood is de allermooiste kleur.
Als ik een T-shirt kiezen mag,
kies ik geen groen, en ook geen blauw.
Dan kies ik rood, iedere dag.

roze

Ik heb een roze jas.
Ik heb een roze tas.
Ik draag een roze broek.
Ik eet een roze koek.

de rugzak

In de rugzak van Farouk
zitten heel veel dingen.
Een pakje drinken en een boek,
een mandarijntje en een koek.

ruiken

Het hondje snuffelt op de vloer.
Wat ruikt hij?
Worst en hondenvoer.

S S

samen

Henk speelt samen met Heleen.
Wie samen is, is niet alleen.

de **rups**

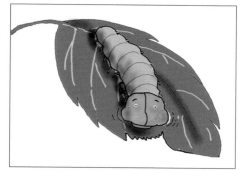

De rups zat op het groene blad.
Hij at daar wat.
En weet je wat?
Hij at het blad.

de **ruzie**

Finet zit op een fietsje.
Die is van mij, roept Floor.
Zij duwt Finette van de fiets.
Ze hebben ruzie hoor!

het **schaap**

93

De schapen met hun wollen haar
liggen heel dicht bij elkaar.
Bè bè bè, zeggen de schapen
en dan gaan ze lekker slapen.

de schaar

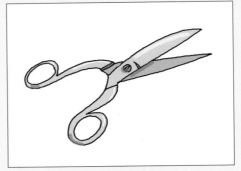

Wat doe je met een schaar?
Je knipt ermee, je knipt ermee.
Papiertjes, nagels, haar:
je knipt het met een schaar.

de schelp

94

Op het stille strand,
in het warme zand,
liggen schelpen uit de zee.
Ik neem de mooiste schelpen mee.

de schep

Met een schep kun je scheppen,
en je kunt er ook mee meppen.
Maar dat doet natuurlijk pijn.
Een schep moet voor het scheppen zijn.

scherp

Konijn heeft een mes.
Een heel scherp mes,
want dat snijdt zo fijn.
Wees voorzichtig, Konijn!

scheuren

Ik ga lekker scheuren.
Ik scheur mijn papier.
Eerst had ik twee stukken.
Nu heb ik er vier.

schieten

Op tv is een meneer.
Waar schiet hij mee?
Met een geweer.
Pang! hoor je elke keer.

de schildpad

De schildpad loopt buiten
met 'n schild op zijn rug,
heel langzaam de tuin door
en langzaam weer terug.

de schoen

Schoenen moeten aan je voeten.
Schoenen hebben klittenband
of veters aan de bovenkant.

de schommel

Hé, wie zit daar op de schommel?
Het is mijn zus Victoria.
Mag ik ook eens op de schommel?
Kijk je dan hoe hoog ik ga?

de school

Op school zit Gijs aan tafel
netjes op een stoel.
Hij gaat daar leren tellen
van één, twee, heleboel.

schoon

Beer gaat alles afwassen.
De beker en het bord,
het mes, de lepel en de vork.
Kijk eens hoe schoon het wordt!

schoonmaken

De tafel zit vol verf en klei.
Ik maak hem schoon.
Kom, help je mij?

Zwarte Piet staat met een zak
bij de schoorsteen op het dak.
Piet gooit netjes één voor één
pakjes door de schoorsteen heen.

de **schop**

Emma is boos
op pop Jasmijn.
Ze geeft haar een schop.
Au, dat doet pijn!

schoppen

Deze twee soldatenpoppen
vechten echt!
Ze slaan en schoppen.

96

de **schoot**

Ik zit op schoot bij mama
en op mijn schoot zit Pop.
En op Pops schoot, daar zit de muis
en wie zit daar weer op?

het **schoteltje**

Een kopje en een schoteltje.
Wat staat er bovenop?
De schotel of de kop?

schreeuwen

Sammy schreeuwt.
Hij schreeuwt in mijn oor.
Praat maar wat zachter.
Ik versta je wel, hoor!

schrijven

Ik schrijf mijn naam.
Mijn naam is Sem.
Dat gaat heel makkelijk:
es-ee-em.

de sinaasappel

Weet je wat ik lekker vind?
Groene peren,
gele appels,
en oranje sinaasappels.

de sjaal

De sjaal om mijn nek
is weg, wat gek.
Verloren misschien?
Heb jij hem gezien?

schrikken

Een muis, een hele dikke,
loopt door het huis.
Niet schrikken!

Sinterklaas

de schuur

In de schuur
tegen de muur
staat een fiets.
Verder niets.

Sinterklaas, Sinterklaas,
en zijn knechtje Pieterbaas.
Sint geeft ons cadeautjes
en Piet geeft pepernootjes.

Mijn konijntjes Ko en Ka
eten heel graag blaadjes.
Geen blaadjes van de bomen,
maar blaadjes van de sla.

98

slaan

Slaan, dat mag niet.
Dat weet je toch, Beer.
Je mag Aap niet slaan.
Doe het niet weer!

de **slaapkamer**

Dit is mijn slaapkamer.
Hier staat mijn bed.
In de slaapkamer slaap ik,
zegt Annejet.

de **slab**

De tweelingbaby's Bim en Bom
hebben plastic slabbetjes om.
Ze eten zelf, ze eten pap.
De meeste pap valt op hun slab.

de **slager**

De slager snijdt het vlees.
Hij snijdt de worst in plakjes.
Dan doet hij vlees en worst
netjes in de zakjes.

de **slak**

Ik ga, zegt de slak,
altijd op mijn gemak.
Mijn huisje heb ik op mijn rug,
dus ik hoef nooit naar huis terug.

de **slang**

Ssss, daar kruipt een slang.
Hij is dun.
Hij is lang.
Brrr, ik ben bang.

de **slee**

Sleetje rijden.
Ga je mee?
Ja, daar gaan we.
Hupsakee!

de **sleutel**

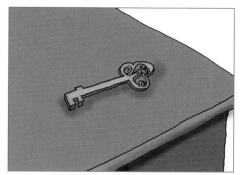

Met de mooie sleutel
die op het kastje ligt,
kun je het kastje opendoen
en daarna ook weer dicht.

slapen

Pop gaat slapen in een bedje.
Poes gaat slapen in de mand.
Baby slaapt al in haar wiegje.
Oma slaapt in 't ledikant.

slikken

Mijn keel doet pijn.
Slikken doet zeer.
Praten en eten
gaat haast niet meer.

de **slinger**

Het jarige paard
eet appeltaart
en heeft een slinger
om zijn staart.

de **slof**

Sloffen uit.
Laarzen aan.
Zullen we
naar buiten gaan?

de **sneeuw**

Sneeuw op de straten.
Sneeuw op de bomen.
Waar is die sneeuw toch
vandaan gekomen?

de **slok**

Met grote slokken, slokkeslok,
drinkt Daniël zijn drinken op.
Klok klok klok.
Dat was de laatste slok.

de **snavel**

Een vogel heeft een snavel.
Dat is dus zijn mond.
Met zijn snavel pikt de vogel
wormpjes uit de grond.

de **sneeuwbal**

Sneeuwballen gooien.
Oei, kijk uit!
Daar gaat er eentje
door de ruit!

sneeuwen

Het sneeuwt met witte vlokken.
Wit wordt al het gras.
Wie weet nog
waar het gras eerst was?

de sneeuwpop

Een sneeuwpop is van sneeuw.
En kijk, zoals je ziet:
de sneeuwpop heeft een hoofd,
maar benen heeft hij niet.

de snor

Jip heeft een snor geplakt
precies onder zijn neus.
Jip, als je later groot bent,
groeien daar haren, heus!

de soep

Soep eten we met een lepel.
Soep eten we uit een bord.
De soep is heet, dus wachten we
totdat ze kouder wordt.

snijden

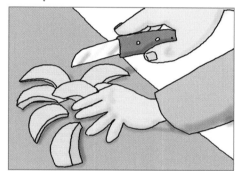

Oom Hans schilt een appel.
Hij snijdt met een mes
de appel in stukjes.
Weet jij hoeveel? Zes.

het snoepje

Welk snoepje zal ik kiezen?
Een schuimpje, geel met wit,
of toch het roze snoepje
dat in een papiertje zit?

snuiten

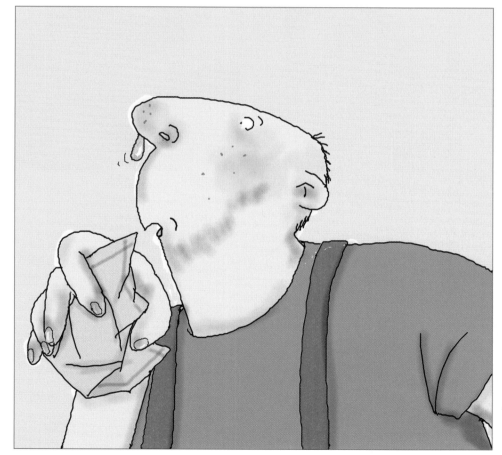

Een hele grote snottebel
hangt aan de reus zijn neus.
Bah, wat vies, reus.
Snuit je neus!

de sok

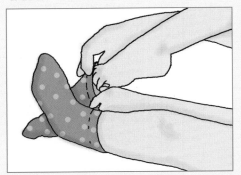

Sokken aan, sokken aan.
Ik weet hoe dat moet.
Ik pak een sokje vast
en doe het aan mijn voet.

de spaghetti

Lange slierten
op het bord van Betty.
Dat is geen macaroni
maar... spaghetti.

de speeltuin

Spelen in de speeltuin.
Wippen, klimmen, glijden,
schommelen, en om de beurt
op het fietsje rijden.

het speelgoed

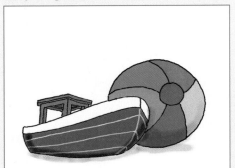

Ik heb van mijn opa
nieuw speelgoed gehad.
Een bal voor op straat
en een boot voor in bad.

de speen

De baby huilt.
Ik weet wat hij wil.
Ik geef hem zijn speen
en kijk, hij is stil!

de speld

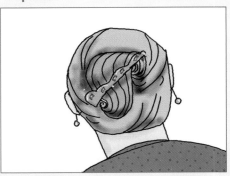

Oma heeft lang haar.
Met een speld zit oma's haar
netjes bij elkaar.

spelen

Ali is een huis aan 't bouwen.
Sacha is papier aan 't vouwen.
Kim die maakt een lange trein.
Zie je dat ze aan 't spelen zijn?

de **spijker**

De timmerman gaat timmeren.
Hij maakt een houten kast.
Hij slaat de spijkers één voor één
met een hamer vast.

de **spin**

103

Een spinnenweb.
Wat zit erin?
Veel draden en...
een dikke spin.

het **spelletje**

Ik weet een heel leuk spelletje,
een spelletje met poppen.
Jij moet de poppen zoeken
en ik mag ze verstoppen.

de **spiegel**

Poes kijkt in de spiegel.
Wat ziet ze daar?
Poes ziet een poes.
Hé, dat is raar!

de **spons**

Schoonmaken met water,
met een emmer en een spons.
De spons gaat in het water.
Plons, plons, plons.

springen

Dit is mijn zusje Inge.
Ze kan al heel goed springen.
Eerst stond ze op een tree.
Nu springt ze: hoepetee!

spugen

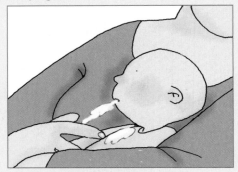

De baby moet spugen.
Zijn truitje wordt nat.
Misschien heeft hij
te veel melk gehad?

spuiten

Max gaat met de tuinslang spuiten,
omdat het heel erg warm is buiten.
Hij spuit ons helemaal nat.
Lekker koud is dat!

de spullen

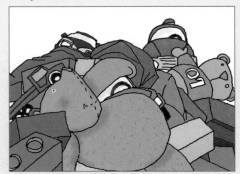

Wat een boel spullen:
blokken en beren,
en ook nog auto's,
en heel veel kleren.

ssst

Het is nacht. De kinderen slapen.
Piet doet wat lekkers in de schoen.
Ssst, hij moet heel zachtjes doen.

staan

De ene clown staat op zijn voeten,
netjes, mooi rechtop.
De andere clown staat op zijn handen,
knap hè, op zijn kop.

de **staart**

Welke dieren hebben een staart?
Een vis, een poes, een hond, een paard.
Ik wou dat ik er ook een had,
een lange, net als onze kat.

de **steen**

Op de straat, daar liggen stenen.
Beertje staat hier voor een steen.
Straks springt hij met een sprongetje,
over dat steentje heen.

steken

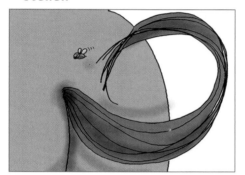

De vlieg steekt het paard
in zijn bil, bij zijn staart.
Brrr, doet het paard
en hij zwiept met zijn staart.

het **staartje**

Heb je de staartjes van Isa gezien?
Ze heeft er niet twee,
ze heeft er wel tien!

de **stap**

Met één grote stap
is de reus
boven aan de trap.

de **stekker**

De stofzuiger, die doet het niet.
Het wil maar steeds niet lukken.
De stekker moet in 't stopcontact
en dan op 't knopje drukken!

de **step**

Steppen op de stoep.
Dat gaat lekker hard.
De step is niet van mij,
maar van mijn vriendje Bart.

de **sticker**

Op mijn ene wang
zit een sticker van een slang.
Op mijn andere wang
zit een sticker van een kikker.

de **stift**

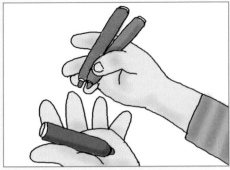

Ik heb drie stiften nodig.
Rood en groen en blauw.
Ik schrijf met rood en groen.
De blauwe is voor jou.

106

de **ster**

Meester heeft een ster getekend
en bij die ster een maan.
Waar is de ster, waar is de maan?
Wijs jij ze maar eens aan!

sterk

Sterk zijn de olifanten,
sterk zijn de stieren.
Maar de leeuw is de sterkste
van alle dieren.

stil

Het is heel stil.
Je hoort helemaal niets.
Geen auto, geen brommer
en geen fiets.

stinken

Wie stinkt er zo?
vraagt oma Jo.
Welk kindje
liet een windje?

de stoep

Stijn staat op de stoep.
Hij mag zelf oversteken.
Even wachten, Stijn.
Je hebt niet goed gekeken.

de stok

Twee stokken voor de trommel.
Twee stokken om te slaan.
Van rommeldebom, van rammeldebam.
Rombom, daar kom ik aan.

stoeien

Stoeien is een beetje vechten.
Maar stoeien doet geen pijn.
Bij het stoeien moet ik lachen.
Stoeien vind ik fijn.

de stoel

Een kleine stoel, een grote stoel.
Een stoel die heeft vier poten.
Op de kleine zit Abdul.
Wie zit er op de grote?

stofzuigen

107

Papa gaat stofzuigen.
Hij maakt alles netjes.
Hij stofzuigt de vloer.
Ook onder de bedjes.

stom

Deze sjaal vind ik heel stom.
Toch moet ik hem van papa om.

stout

Met hele grote blokken
heb ik een huis gebouwd.
Mijn broertje schopt de blokken om.
Dat is niet lief, maar stout.

strak

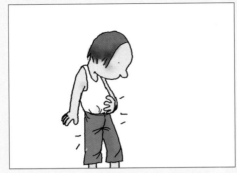

Mijn broek zit te strak.
Hij past niet meer.
Mijn broek zit wel dicht,
maar mijn buik doet zeer.

de stoomboot

Tóét, daar is de stoomboot.
Tóét, daar komt hij aan.
Kijk, daar zie ik Sinterklaas
en de Pieten staan!

stoten

Au, ik stoot me
aan een steen.
Nu heb ik pijn.
En bloed aan mijn been.

de straat

Wie loopt daar op straat?
Dat is meneer De Laat
die zijn hond uitlaat.

het strand

Waar speel je met zand
vlak bij de zee
met een schep in je hand?
Dat is... op het strand.

strooien

Wie strooit er pepernoten?
De kerstman soms, of niet?
Kun jij me dat vertellen?
Strooien doet... Zwarte Piet!

stuk

109

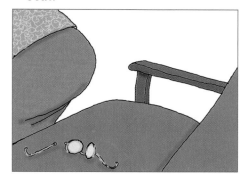

Tante Tuk
zat met één bil
op haar bril.
Nu is hij stuk.

het strijkijzer

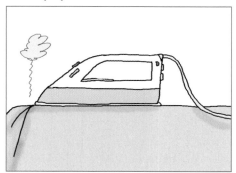

Het strijkijzer strijkt
de kleren glad.
Het strijkijzer strijkt
de kreukels plat.

de strik

Dit ben ik,
met mijn nieuwe roze strik.

sturen

Frits kan goed sturen.
Hij rijdt rechtdoor.
Nu gaat hij de bocht om.
Moeilijk, hoor!

het **stuur**

Dit is mijn auto.
Ik zit aan het stuur.
Hier kom ik. O, o…
tegen de muur.

de **taart**

Papa gaat de taart versieren.
Hieperdepiep, hoera!
En wat doet hij op de taart?
Slagroom en chocola.

de **tafel**

Is dit een bed? Nee!
Is dit een stoel? Mis!
Ik weet zeker
dat dit een tafel is.

de **suiker**

Het is zoet en het is wit.
Weet jij wat er
in de suikerpot zit?

t T

tafeldekken

Help je mee met tafeldekken?
Ik weet hoe dat moet.
Brood en boter, borden, bekers,
messen, vorken. Dat is goed.

het **tafelkleed**

Als ik bij opa en oma eet,
ligt op de tafel een tafelkleed.

de **tak**

Een tak aan een boom.
Een boom in de tuin.
De blaadjes zijn groen
en de tak, die is bruin.

de **tandarts**

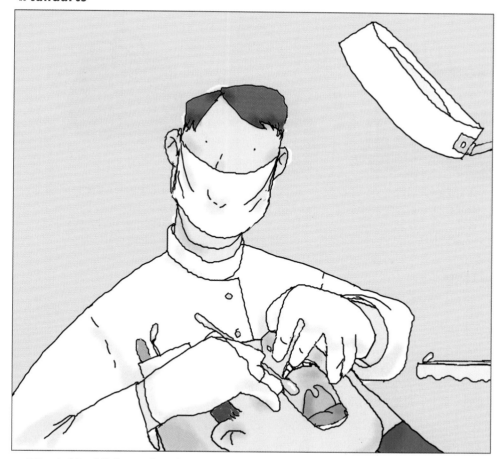

Wie zit hier bij de tandarts?
Dat is meneer De Bond.
Met een spiegel kijkt de tandarts
in meneer De Bond z'n mond.

de **tand**

Waarmee kun je bijten?
Met je handen
of met je tanden?

de **tandenborstel**

Dit is Toon.
Met zijn nieuwe tandenborstel
poetst hij zijn tandjes schoon.

de **tandpasta**

Felicia eet chocola
en poetst daarna
haar tanden schoon
met tandpasta.

tanken

Dit is juf Eline.
Zij tankt hier benzine.

de tas

Wat zit er allemaal in die tas?
Sleutels, zakdoekjes, geld.
En ook een kammetje en een pen.
Nu heb ik je alles verteld.

de teen

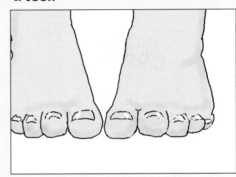

Thijs staat op twee benen,
heel hoog op zijn tenen.

112

de tante

Mijn allerliefste tante
dat is mijn tante Liz.
Ik mag bij haar logeren
als het vakantie is.

tekenen

Ik teken met een potlood
een ijsbeer in een zeilboot.

de tekening

Ik maak een mooie tekening,
een tekening voor jou.
Ik teken leuke vlaggetjes
met rood en geel en blauw.

de **telefoon**

Tring tring, de telefoon.
Wil jij hem pakken, Flo?
Flo pakt de telefoon
en zegt: hallo, hallo.

de **thee**

Thee in een beker,
thee in een kop.
Thee vind ik lekker.
Ik drink de thee op.

de **theepot**

Een theepot met twee kopjes.
De theepot is van mij.
Ik mag de thee inschenken.
Wil je er suiker bij?

de **televisie**

Mag de televisie aan?
Tv kijken is leuk.
Leuker dan
naar bed toe gaan.

de **tent**

Als je op vakantie bent,
kun je slapen in een tent.

thuis

Mijn mama is thuis
en ik ben thuis.
We zitten samen
in ons huis.

de **tik**

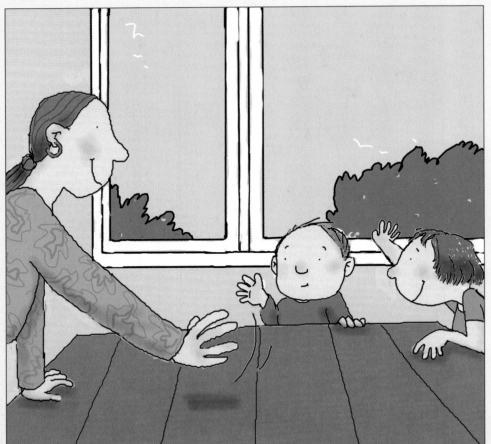

Steek je hand eens in de lucht
en doe dan net als ik.
Sla met je hand op tafel.
Drie keer. Tik tik tik.

de **tomaat**

Een tomaatje, rond en rood,
voor de soep of voor op brood.

de **tong**

Je tong zit in je mond.
Laat hem maar eens zien.
Steek je tong eens uit.
Of... heb jij geen tong misschien?

de **toeter**

Susan heeft een toeter.
Weet jij wat ze doet?
Ze blaast erop. Hoor maar.
Toeterdetoet!

het **toetje**

Een toetje is voor toe.
Een toetje is voor na.
Een toetje kan een ijsje zijn
of aardbeien met vla.

de **toren**

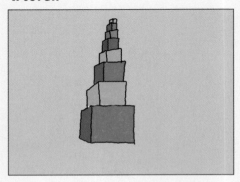

Wie zie ik daar, wat zie ik daar?
Een hele hoge toren.
Acht blokken op elkaar.

de **torenklok**

Boven op de kerk,
in de klokkentoren,
zit een grote torenklok.
Bimmebam. Je kunt 'm horen.

het **touw**

Wat doen die twee jongens nou?
Ze trekken heel hard
aan een touw.

de **tractor**

Zie je die tractor?
Hij rijdt op het land.
En achter de tractor
een kar vol met zand.

de **traan**

Mijn broertje moet een prik.
Hij is een beetje bang.
Hij huilt, hij is verdrietig.
Tranen op zijn wang.

de **tram**

We gaan met de tram
naar Nieuwegein.
Hij rijdt lekker snel.
Het lijkt wel een trein.

de **trap**

Stap, stap, stap,
samen op de trap.
Geef me maar een handje,
trippe trappe trap.

de **trein**

Hier zie je Aap met vriend Konijn.
Ze reizen samen met de trein.
Konijn kijkt uit het raam, maar Aap
die viel gewoon meteen in slaap.

de **troep**

Ruim je troep eens even op.
Overal ligt wat.
Hier een beer, daar een pop.
Hier een stift, daar een dop.

de **trommel** (koekjes)

Koekjes uit de winkel.
Waar moeten ze heen?
Ze gaan in de trommel.
Straks krijg ik er één.

trekken

Jan Peter trekt de kar.
Poe poe.
De kar is zwaar.
Hij wordt een beetje moe.

de **trommel** (muziek)

Ik heb twee houten stokjes.
Ik trommel op mijn trom
met twee stokjes tegelijk.
Pompom pedom pedom.

de **trui**

Dit is een trui, een dikke trui,
een trui met lange mouwen.
Er staan twee kleine poesjes op
die naar elkaar miauwen.

het T-shirt

Esmee heeft het T-shirt
van Eva aangedaan.
En het shirt van Esmee?
Dat heeft Eva aan.

de tv

Weet je waar ik nu naar kijk?
Niet naar een dvd
en ook niet naar een video.
Ik kijk naar de tv.

twee

Hoeveel oren heb je? Twee.
Hoeveel ogen heb je? Twee.
Heb je ook twee neuzen?
Nee!

de tuin

Meneer Van Duin en mevrouw Van Duin,
die waren samen in de tuin.
Meneer Van Duin maaide het gras,
terwijl mevrouw een boekje las.

de tweeling

Wij zijn een echte tweeling.
Even groot en even oud,
even lief en even stout.

u U

de uil

Dit dier is een uil
uit Bergen op Zoom.
Hij roept oehoe
en woont hoog in een boom.

uitdoen

Mama zegt: welterusten.
Ik geef je nog één zoen,
en dan ga ik écht
het licht uitdoen.

uitkijken

Kijk uit voor de auto's.
Blijf mooi op de stoep.
Kijk voor je, niet rennen.
Kijk uit, daar ligt poep.

118

uitdelen

Er is visite.
Er is bezoek.
Ik mag uitdelen.
Boterkoek!

uitkleden

Kleed je maar uit.
Je mag lekker in bad.
Kleren uit,
anders worden ze nat.

uitknippen

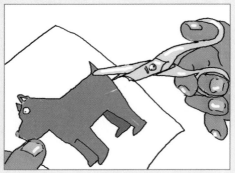

Ik knip dit hondje uit,
met een kleine schaar,
heel mooi langs de randjes.
Ik ben nog lang niet klaar.

uitpakken

Luit pakt zijn cadeautje uit.
Wat zit erin?
Een echte fluit.

de **vader**

Mijn vader is de papa
van mij en van mijn broer.
Mijn vader kan goed klussen.
Mijn vader is heel stoer.

het **vakantiehuis**

Op vakantie, op vakantie
naar een leuk vakantiehuis.
Ver weg, met een zwembad.
Maar de poezen blijven thuis.

V

V

de **vakantie**

Met vakantie gaan is leuk,
omdat je ergens anders bent.
Je eet dan in een caravan,
of slaapt 's nachts in een tent.

de **vaas**

Een vaasje met water
en bloemen erin.
Dat geef ik aan Leyla,
mijn liefste vriendin.

vallen

Clowntje doet een beetje mal
op een grote circusbal.
Kijk dan, roept hij,
kijk, ik val…

het varken

Dit varkentje is roze en rond.
Ze zoekt naar eten op de grond.
Ze snuffelt en ze knort.
Haar staartje is heel kort.

vechten

Vechten, dat is ruzie maken
met je voeten en je handen.
Vechten, dat is iemand slaan
of bijten met je tanden.

vangen

Zullen we ballen?
Als ik de bal gooi,
dan moet jij hem vangen.
Je hebt hem? Mooi!

varen

Lekker varen
in een boot
op het water
in de sloot.

vasthouden

Het aapje houdt zijn moeder vast.
Hij is met haar in 't bos.
Moeder aap klimt in de boom,
en 't aapje laat niet los.

de **veer**

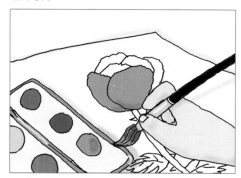

Mensen dragen kleren.
Vogels hebben veren.

de **verf**

Ik kies een kleurtje uit mijn doos.
Ik maak met verf een roze roos.

het **verhaal**

Kom en luister allemaal!
Juf vertelt een mooi verhaal.

vegen

Van oma heb ik
een bezem gekregen.
De vloer is vies.
Ik ga hem vegen.

ver

Daar gaat een vogel.
Hij vliegt heel snel.
Nu is hij ver weg,
maar ik zie hem nog wel.

de **verjaardag**

Het is Tims verjaardag.
Hoera, het is feest.
Ben jij ook wel eens
jarig geweest?

verkouden

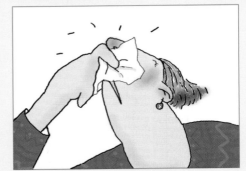

Wie niest en hoest?
Mijn tante Milou.
Zij is erg verkouden.
Hatsjie, hatsjoe!

het **vest**

Moniek heeft het koud.
Doe je vest aan, Moniek!
Dat is lekker warm
en dan word je niet ziek.

de **veter**

Pak je schoenen uit de kast.
Maak je zelf je veters vast?

verstoppen

Sofia heeft de bal verstopt.
Een rode bal.
Kijk maar eens goed.
Zie jij hem al?

verven

Ik ga deze schoenen verven.
Welke kleuren zal ik doen?
De één maak ik blauw,
de andere groen.

de **video**

Ik heb mijn pyjama aan.
Ik zit voor de tv.
Papa zet de video aan
en kijkt dan met mij mee.

vies

Kattenpoep en kattenpies,
dát is smerig, dát is vies!

de vla

Ik maak een lekker toetje.
Eerst neem ik gele vla.
Daar doe ik nog wat yoghurt bij
en vlokken chocola.

de vlag

Onze vlag hangt buiten.
Hij wappert aan een touw.
Het is de vlag van Nederland.
De vlag is rood, wit, blauw.

123

de vinger

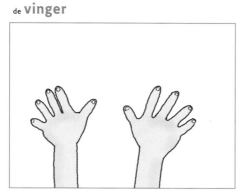

Laat je vingers eens zien?
Hoeveel heb je er? Tien!
En wie weet
hoe de kleinste vinger heet?

de vis

Hij woont in de zee.
Zie jij wat het is?
Hij zwemt onder water.
Het is een… vis.

het vlees

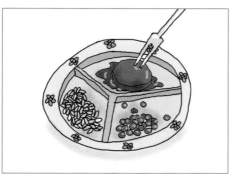

Een bord met eten,
eten voor Mees.
Rijst met groente
en een klein stukje vlees.

de **vleugel**

Een vogel heeft vleugels,
niet één, maar twee.
Daar klappert en fladdert
en vliegt hij mee.

vliegen

124

de **vlieg**

De vlieg ligt op het brood.
Hij vliegt niet meer.
Die vlieg is dood.

Vogels vliegen door de lucht.
Kunnen mensen vliegen? Nee.
Die gaan met een vliegtuig mee.

het **vliegtuig**

Het vliegtuig maakt een verre reis,
van Amerika naar Parijs
door de lucht en vliegensvlug
gaat het vliegtuig weer terug.

de **vlinder**

Het is oranje, rood en bruin
en het fladdert in de tuin.
Het is eerst een rups geweest.
Nou, hoe noemen we zo'n beest?

de **vloer**

Mijn broertje Roel
zit niet op een stoel.
Nee, mijn broer
zit op de vloer.

voelen

Voel eens wat dit is,
met je ogen dicht.
Is het hard of zacht?
Is het zwaar of licht?

voetballen

Er is voetballen
op de tv.
Ik kijk met papa
en mama mee.

de **vogel**

Er zat een vogel in de boom,
een vogel op een tak.
Toen vloog de vogel weg, en kijk,
nu zit hij op het dak.

de **voet**

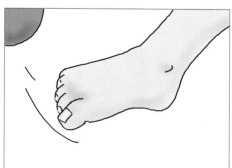

Schop de bal
met je voet
in de lucht.
Dat is goed!

de **voetbal**

Een voetbal is een bal.
En wat je ermee doet?
Gooi hem niet met je handen,
maar schop hem met je voet.

vol

Het bakje is vol.
Vol met wat?
Vol met brokjes
voor de kat.

voorlezen

Opa leest mij heel vaak voor
uit mijn eigen woordenboek.
Als hij vraagt: Waar is de maan?
dan wijs ik het maantje aan.

de vork

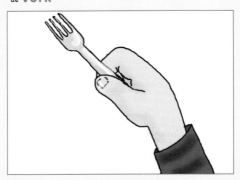

Met een vork kun je prikken
in brood of in vlees.
Maar met een vork je sóép eten,
dat gaat niet, hoor Kees.

vouwen

Ik vouw van een blaadje
een groene hoed.
Hij wordt heel mooi.
Ik kan dat goed.

voorop

Achter op de fiets zit ik.
Voorop zit mijn broertje Rick.

de vrachtauto

Een hele grote vrachtauto
staat bij ons in de straat.
En de chauffeur, dat is de man
die naast de wagen staat.

de vriend

Jord en Mike zijn vrienden.
Ze zitten op een slee.
Heb jij ook een vriendje?
Speel je daar vaak mee?

vuil

Wat doet die hond?
Hij graaft een kuil.
Zijn neus is vies.
Zijn poten zijn vuil.

het **vuur**

Kijk eens hoe ik
een vuurtje stook.
Zie je die vlammen?
Zie je die rook?

waaien

Een boom kan niet lopen.
Een boom staat heel stil.
Maar als het gaat waaien,
dan gaat een boom zwaaien.

W

wachten

Even wachten! Dat roept mama
als ik vlug naar buiten wil.
Even wachten, dus dan sta ik
bij de deur maar even stil.

de **wagen**

Dit is Siemens wagentje.
Hij wil niet in de wagen.
En hij wil ook niet lopen.
Papa moet hem dragen.

wakker

Hallo, lief aapje!
Ben je wakker
of slaap je?

warm

Hier is Harm.
Hij heeft het warm.
Z'n buikje is bloot
en z'n wangen zijn rood.

de wasmachine

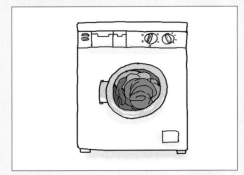

In de wasmachine
zit de vuile was:
sokken, broeken, hemden,
en mijn blauwe jas.

128

de wang

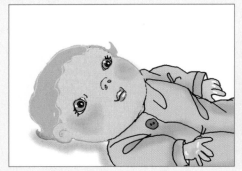

Rode wangen
heeft mijn pop.
Ik geef er zacht
een kusje op.

het wantje

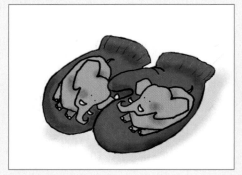

Koude handjes?
Hier zijn wantjes
met erop
twee olifantjes.

het washandje

Ik kan mijzelf al wassen.
Zie je me hier staan?
Ik was me met een washand
en water uit de kraan.

wassen

Vóór het eten en na 't plassen
moet je goed
je handjes wassen.

de weg

De weg, dat is de straat.
Er rijden auto's en bussen.
Het is er heel gevaarlijk,
dus loop er maar niet tussen.

weggooien

Dit jongetje gooit spullen weg.
Hij doet ze in een zak.
Wat doet hij met die zak?
Die gooit hij in de vuilnisbak.

het water

Waar komt water vandaan?
Dat komt uit de kraan.
Je kunt het drinken, en weet je wat?
Water gaat ook in het bad.

weggaan

Opa en oma gaan samen weg.
Ik geef ze nog een kus.
Nu stappen ze in, dag opa, dag oma,
en dan vertrekt de bus.

de wc

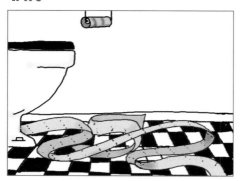

In de gang is de wc.
Er hangt een rol wc-papier.
De rol is leeg. Dat zie je hier.
Maar wáár is nou toch het papier?

weglopen

De babypoes is weggelopen,
zomaar in een schoen gekropen.
Mama roept: miauw, miauw!
Babypoes, waar ben je nou?

de wei

De wei, de wei is groen.
En in de wei staan koeien.
Weet jij wat ze doen?
Ze eten gras en loeien.

welterusten

Welterusten, Roosmarijn.
Slaap maar lekker,
droom maar fijn.

wegrijden

De trein rijdt weg
van het station.
Ik wou dat ik óók
met die trein mee kon!

het werk

Papa is niet thuis.
Hij is naar zijn werk.
Zijn werk is straten maken,
want papa is heel sterk.

werken

Werken, dat kan buiten
en ook op een kantoor.
Mama werkt op de computer.
Daar krijgt ze centjes voor.

de **wesp**

Een wesp! Niet slaan!
Laat die wesp maar gaan.
Een wesp prikt
als hij schrikt.

de **wind**

Het waait, het waait.
Dat doet de wind.
Doe je jas goed dicht.
Het is koud, Rosalind.

de **wip**

Karlijn en Flip
zitten op de wip.
Ik wip, zegt Flip.
Heel fijn, zegt Karlijn.

de **wieg**

Suja, suja, slaap maar, kleintje,
slaap maar in je wiegje.
Suja, suja, slaap maar, kleintje,
lief klein poppedeintje.

het **wiel**

De auto rijdt, de auto rijdt,
de auto rijdt op wielen.
Die wielen rijden op de grond
en ze draaien snel in 't rond.

de **winkel**

Dit is een winkel.
Wat kun je er doen?
Zwemmen, of spelen, of...
boodschappen doen?

wit

Wat is er allemaal wit?
De sneeuw, de melk, een ei.
En dan nog wolken en papier.
Weet jij er nog meer bij?

132

de wolf

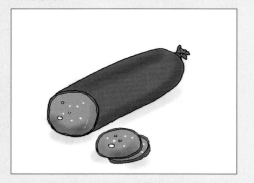

Een wolf woont in de dierentuin
of in heel verre landen.
Een wolf lijkt op een wilde hond
en hij heeft scherpe tanden.

wonen

Het hert, de eekhoorn en de vos,
die wonen in het grote bos.

de wolk

Kijk in de lucht.
Wat zie je daar?
Witte wolken
bij elkaar.

de worst

Mama en Trees zijn bij de slager.
Mama koopt vlees.
Een plakje worst?
vraagt de slager aan Trees.

de wortel

Ze zijn oranje. Je kunt ze eten.
Ze zijn voor mij en mijn konijn.
Welke groente zou dit zijn?

x

z Z

de **zaag**

Dikke planken
zaag je door
met een zaag.
Gevaarlijk hoor!

y Y

zachtjes

de **yoghurt**

Yoghurt is een toetje.
Yoghurt is wit.
Yoghurt is heel lekker
als er honing in zit.

Heb je een geheimpje?
Zeg het in mijn oren.
Zeg het heel, heel zachtjes.
Niemand kan je horen.

de **zak**

De vuilnismannen werken hard.
Zie je wat ze dragen?
Grote vuilniszakken.
Die gooien ze in de wagen.

134

de **zandbak**

Ik zit in de zandbak
Ik speel met zand.
Ik heb een schepje
in mijn hand.

de **zee**

Aan zee, aan zee,
daar speel ik met zand.
Ik speel in de golven.
Ik ren op het strand.

de **zakdoek**

Een zakdoekje, een zakdoekje,
een zakdoek voor Rogier.
Hij is zijn neus aan 't snuiten
met 'n zakdoek van papier.

het **zand**

Het hele strand
ligt vol met… zand.

de **zeep**

Dit is een stuk zeep.
Ik eet het niet op.
Ik was ermee.
Hier was ik mijn pop.

zelf

Koen wil zijn schoen uitdoen.
Zal ik je helpen? vraagt Jeroen.
Nee, zegt Koen.
Zelf doen.

het ziekenhuis

Muis ligt in het ziekenhuis.
Zielig hè, voor Muis.
Zijn staartje is heel erg verbrand.
Dat zit nu in een wit verband.

zien

135

Ik zie een vliegtuig.
Kun jij dat niet zien?
Moet jij dan een bril misschien?

ziek

Mijn zusje is ziek.
Zij ligt boven in bed.
Ik heb al mijn knuffels
bij haar gezet.

de ziekenauto

Tatúút, tatúút, de ziekenauto!
Allemaal opzij!
De auto moet naar 't ziekenhuis.
Hij rijdt heel hard voorbij.

zingen

Zing een liedje.
Tra la la.
Tiedeliedom.
Zing mij maar na.

zitten

Wij hebben een klein hondje.
Dat hondje heet Birgit.
En als zij moet gaan zitten,
dan zeg ik: Birgit, zit!

136

zoeken

Ik zoek, ik zoek
een dik, rood boek.
Ik zie het staan,
daar bovenaan.

de **zolder**

Op de zolder van het huis,
daar woont Piepelien, de muis.
Ze woont daar heel tevreden.
Ze komt haast nooit beneden.

de **zon**

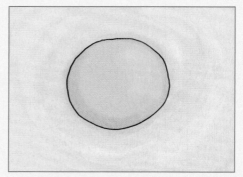

De zon geeft warmte.
De zon is geel.
De zon geeft licht,
heel erg veel.

de **zonnebril**

Een zonnebril is donker.
Je kunt er wel door kijken.
Maar je zult zien dat alles
donkerder gaat lijken.

het **zusje**

Dit is mijn zusje Desi.
Ze is nog niet zo groot.
Ze kan nog niet goed lopen.
Ze mag bij mij op schoot.

zwaaien

Ik zwaai met mijn handje.
Ik zwaai met een vlag.
Ik zwaai naar de mensen.
Doei doei en dag dag.

de zwaan

Wie komen daar heel langzaam aan?
Een witte en een zwarte zwaan.

het zwembad

Wie springt daar in het zwembad?
Een dikke olifant.
Het water spat omhoog
en komt over de rand.

zwart

Zwarte laarzen, zwarte jas.
Zwarte wanten, zwarte das.
De lievelingskleur van Eduard
is niet wit, maar… zwart.

de zwembroek

Mijn zwembroek is rood.
Zonder zwembroek
ben ik bloot.

zwemmen

We gaan zwemmen, zwemmen, zwemmen.
Alle zwemspullen gaan mee.
En dan gaan we lekker spelen
in de zee, zee, zee.

De trefwoorden (die in het boek staan met een plaatje en een versje) zijn zwart.
De rode woorden zijn geen trefwoord. Ze verwijzen naar één van de versjes waarin ze voorkomen.

horloge klaar	kleed	langs uitknippen	moe	ophouden omgooien	politie
houden douche	klei	langzaam slak	moeder	oppassen	politieauto
huilen	kleien	laten tandenborstel	moeilijk proberen	oprapen	poort
huis	klein	lawaai	moeten afwassen	opruimen	poot
hupsakee slee	kleren	leeg	mogen cavia	opstaan	pop
	kleur	leeuw	mond	optillen papa	poppenhoek hoek
iemand stout	kleuren	leggen klei	mooi	opzetten	poppenhuis
ijs	kleurboek kleuren	lekker	morgen gordijn	opzij moe	poppenkast
ijsje	kleurpotlood kleuren	lekkers	moskee crèche	oranje	poppenwagen
ik video	klimmen	lepel	motor	oud	portemonnee
in	klimrek	letter	muis	oven	potje
instappen weggaan	klok	leuk spelletje	muts	over pijn	potlood
	klomp	lezen	muur	overheen hek	praten slikken
ja hap	kloppen	licht (het licht)	muziek	oversteken	prik
jaar kaars	knap	licht (niet donker) lamp			prikken
jarig	knie	liedje	naam schrijven	paar aardbei	prinses
jas	knijpen	lief	naar tram	paard	proberen
je kind	knikker	liever lolly	naartoe dragen	paars	prullenbak
je knap	knippen	lift	naast	paddenstoel	punt
jij meneer	knoeien	liggen	nacht	pakje	puzzel
jongen	knoop	lijken	nat	pakken	pyjama
jou kip	knop	lijm	natuurlijk kous	pan	
jouw riem	knuffel	likken	navel	pang pistool	raam
juf	koe	limonade	nee friet	pannenkoek	raar
juffrouw	koekje	lip	nek	pantoffel	raceauto
jurk	koelkast	logeren koffer	nemen pap	pap	radio
	koffer	lolly	net staart	papa	rails
kaars	koffie	lopen	neus	papegaai	rechter klimmen
kaart	koken	los vasthouden	niet step	papier	rechtop staan
kaas	komen hert	lucht	niets schuur	paraplu	regen
kabouter	komkommer	luier	nieuw	passen	regenen
kachel	konijn	luisteren	nodig kapot	pasta	rennen
kam	koning	lukken lift	nog blok	patat	reus
kamer	kont	lusten	nootje	pauw	riem
kammen	kop (hoofd)		nou touw	peer	rietje
kant duim	kop (op z'n kop)	maan	nu vogel	pen	rij
kapot	kopen bakker	maar (drink maar) blikje		pepernoot	rijden
kapper	kopje	maar (maar ik...) ver	of (kijk of) lift	pet	rijst vlees
kapstok	koud	maken	of (hard of zacht)	piemel	ring
kar	kous	makkelijk schrijven	voelen	piepen muis	rits dichtdoen
kast	kraal	mama	oh raceauto	pijn	roepen bus
kasteel	kraan	man	oké kapstok	pikken	roeren
kat	krant	mand	olifant	pil	rok
keel	krassen	mandarijn	oma	pinda	rollen
keer tik	kriebelen kietelen	meegaan	omdraaien	pindakaas	rommel
kerk torenklok	krijgen	meenemen	omgooien	pinguïn	rond
kerstboom	krijtje	meer kleur	omhoog	pistool	rood
kerstfeest	kring	meester klas	omvallen	pizza	roze
ketting	krokodil	meisje	onder	plaatje	rozijn
keuken	kruipen	melk	onderbroek	plaats	rug
kiekeboe	kuiken	meneer	onderin	plagen	rugzak
kiepwagen	kukeleku haan	mens	oog	plakken	ruiken
kietelen	kunnen rollen	mes	ook motor	plant	ruit sneeuwbal
kiezen	kusje	met bad	oom	plas (wc)	rups
kijken	kussen	meteen trein	oor	plas (regen)	ruzie
kikker	kwast	mevrouw	op (opgegeten)	plassen	
kind	kwijt	miauw weglopen	op (op stok)	plasser	samen
kip		midden	opa	plat	sap blikje
kist	laars	mij wortel	opbellen	pleister	schaap
kiwi	laatste slok	mijn wortel	opdrinken	plons	schaar
klaar	lachen	mis	open	poep	schelp
klap	lammetje	misschien meisje	opendoen	poepen	schep
klappen	lamp	mmm peer	opeten	poes	scheppen schep
klas	lang	modder	ophangen	poetsen	scherp

140

scheuren
schieten
schildpad
schoen
schommel
schommelen speeltuin
school
schoon
schoonmaken
schoorsteen
schoot
schop
schoppen
schoteltje
schreeuwen
schrijven
schrikken
schuur
sinaasappel
Sinterklaas
sjaal
sla
slaan
slaap trein
slaapkamer
slab
slager
slagroom taart
slak
slang
slapen
slee
sleutel
slikken
slinger
slof
slok
snavel
sneeuw
sneeuwbal
sneeuwen
sneeuwpop
snel fietsen
snijden
snoepje
snor
snuiten
soep
sok
spaghetti
speelgoed
speeltuin
speen
speld
spelen
spelletje
spiegel
spijker
spin
spons
springen
spugen
spuiten
spullen

ssst
staan
staart
staartje
stap
steeds elastiekje
steen
steken
stekker
step
ster
sterk
sticker
stift
stil
stinken
stoeien
stoel
stoep
stofzuigen
stofzuiger stekker
stok
stom
stoomboot
stoppen gevaarlijk
stoten
stout
straat
strak
straks bezoek
strand
strijkijzer
strik
strooien
stuk
stukje duif
sturen
stuur
suiker
suikerpot suiker

taart
tafel
tafeldekken
tafelkleed
tak
tand
tandarts
tandenborstel
tandpasta
tanken
tante
tas
teen
tegelijk trommel
tekenen
tekening
telefoon
televisie
tent
terug schildpad
thee
theepot
thuis

thuisblijven
  vakantiehuis
tien vinger
tik
timmeren spijker
toch achter
toen vogel
toet auto
toeter
toetje
tok kip
tomaat
tong
toren
torenklok
touw
traan
tractor
tralala muziek
tram
trap
trein
trekken
troep
trommel (koekjes)
trommel (muziek)
trui
T-shirt
tuin
tussen grap
tv
twee
tweeling

uil
uit (buiten) hond
uit (kleren uit)
  aankleden
uit (uit de grond)
  aardappel
uitdelen
uitdoen
uitkijken
uitkleden
uitknippen
uitpakken

vaak koe
vaas
vader
vakantie
vakantiehuis
vallen
van dood
vandaag jas
vangen
varen
varken
vast spijker
vasthouden
vastmaken veter
vechten
veel appelboom
veer

vegen
ver
verder hek
verdrietig traan
verf
verhaal
verjaardag
verkeerd oom
verkleden jurk
verkouden
verstoppen
vertellen opbellen
verven
vest
veter
video
vier scheuren
vies
vinden (na 't zoeken)
  kwijt
vinden (ik vind) hemd
vinger
vis
vla
vlag
vlees
vleugel
vlieg
vliegen
vliegtuig
vlinder
vloer
voelen
voet
voetbal
voetballen
vogel
vol
voor pakje
voorlezen
voorop
voorzichtig knippen
vork
vouwen
vrachtauto
vragen chips
vriend
vuil
vuilniszak zak
vuur

waaien
waar ster
wachten
wagentje
wakker
wang
want werk
wantje
warm
was wasmachine
washandje
wasmachine
wassen

wat (iets) rups
wat (wat zie je) wolk
water
wc
wc-papier wc
we soep
weer vliegtuig
weg (kwijt) sjaal
weg (de weg)
weggaan
weggooien
weglopen
wegrijden
wei
wel staartje
welterusten
werk
werken
wesp
weten tafeldekken
wie tandarts
wieg
wiel
wij zitten
wild wolf
willen mooi
wind
winkel
wip
wit
woef blaffen
wolf
wolk
wonen
worden schoon
worst
wortel

yoghurt

zaag
zachtjes
zagen zaag
zak
zakdoek
zand
zandbak
ze spelen
zee
zeep
zeer strak
zeggen zachtjes
zeker afwassen
zelf
zetten leeg
ziek
ziekenauto
ziekenhuis
zielig ziekenhuis
zien
zij ziek
zijn (waar zijn) alleen
zijn (zijn staart)
  ziekenhuis

zingen
zitten
zo douche
zoeken
zoen lip
zolder
zon
zonnebril
zuigen lekker
zullen vangen
zusje
zwaaien
zwaan
zwaar voelen
zwart
zwembad
zwembroek
zwemmen

De thema's staan alfabetisch. Sommige thema's zijn verder onderverdeeld.
Trefwoorden kunnen bij meer thema's voorkomen.

Bewegen
aanwijzen
ballen
dansen
draaien
dragen
drukken
duwen
glijden
gooien
hangen
hollen
klappen
klimmen
kloppen
knijpen
kruipen
liggen
lopen
omdraaien
oprapen
opstaan
pakken
rennen
rijden
rollen
schoppen
slaan
springen
staan
stap
sturen
tik
trekken
vallen
vangen
vliegen
zwaaien
zwemmen

Boerderij
Algemeen
aaien
beest
boer
boerderij
dier
tractor
wei
aardappel
Boerderijdieren
geit

haan
kip
koe
konijn
kuiken
lammetje
paard
schaap
varken

Boodschappen
(Zie ook: Eten)
bakker
blikje
boodschappen
buggy
cent
fles
geld
kar
portemonnee
slager
tas
wagen
winkel

Bos
(Zie ook: Dieren, Seizoenen)
Algemeen
boom
bos
paddenstoel
tak
Bosdieren
eekhoorn
hert
konijn
uil
vogel

Dieren
Algemeen
aaien
bak
beest
blaffen
boerderij
dier
dierentuin
hok
mand

ruiken
vliegen
Dierenlichaam
bek
kop
oor
poot
snavel
staart
veer
vleugel
In het bos
eekhoorn
hert
konijn
uil
vogel
Op de boerderij
geit
haan
kip
koe
kuiken
lammetje
paard
schaap
varken
In/om het huis
cavia
eend
hond
kat
konijn
muis
poes
rups
slak
spin
In de lucht
duif
uil
vlieg
vlinder
vogel
wesp
In het water
eend
kikker
vis
zwaan
Dierentuin
aap

beer
giraf
krokodil
leeuw
olifant
papegaai
pauw
pinguïn
schildpad
slang
wolf

Drinken
(Zie ook: Eten)
Algemeen
dorst
drinken
heet
opdrinken
slok
Drinkgerei
beker
blikje
fles
glas
kopje
rietje
schoteltje
theepot
Dranken
appelsap
cola
koffie
limonade
melk
thee
water

Emoties
bang
blij
boos
dorst
eng
fout
gek
gevaarlijk
grap
honger
huilen
kusje
lachen

lief
moe
mooi
schrikken
slaan
stom
stout
traan

Eten
(Zie ook: Drinken)
Algemeen
afvegen
bijten
doekje
eten
hap
happen
honger
knoeien
koken
lekker
likken
lusten
opeten
slikken
spugen
vies
Eetgerei
beker
bord
glas
kopje
lepel
mes
slab
suikerpot
tafel
tafeldekken
tafelkleed
vork
Ontbijt/lunch
boter
boterham
brood
broodje
ei
hagelslag
kaas
pap
pindakaas
suiker

worst
Warme maaltijd
aardappel
appelmoes
friet
komkommer
pannenkoek
pasta
patat
pizza
sla
soep
spaghetti
toetje
tomaat
vla
vlees
wortel
yoghurt
Fruit
aardbei
appel
banaan
fruit
kiwi
mandarijn
peer
rozijn
sinaasappel
Lekkers
appeltaart
chips
chocola
dropje
ijsje
koekje
lekkers
lolly
pinda
rozijn
snoepje
taart

Feesten
Algemeen
appeltaart
ballon
cadeau
chips
chocola
cola
feest

friet
geven
ijsje
jarig
kaars
kaart
krijgen
lekker
lekkers
limonade
lolly
pakje
slinger
snoepje
taart
toeter
trommel
uitdelen
uitpakken
verjaardag
vlag

Kerst
kerstboom
kerstfeest

Sint
pepernoot
Sinterklaas
stoomboot
strooien

Huis
(Zie ook: Eten,
Schoonmaken, Tuin)
Algemeen
bel
beneden
bezoek
binnen
boven
dak
deur
dichtdoen
gang
garage
gordijn
grond
hoek
huis
kachel
kamer
kleed
lift
muur
opendoen
raam
schoorsteen
schuur
sleutel
spijker
strijkbout
thuis

trap
vloer
wonen
zaag
zolder
Woonkamer
bank
bellen
cd
computer
film
klok
knop
krant
opbellen
stekker
stoel
tafel
tafelkleed
telefoon
televisie
tv
vaas
video
zitten
Keuken
afwassen
bakken
bord
boter
deksel
doekje
dop
fles
keuken
koelkast
koken
kraan
mes
oven
pan
roeren
scherp
snijden
Slaapkamer
bed
beer
deken
gordijn
knuffel
kussen
lamp
nacht
slaapkamer
slapen
speen
uitdoen
wakker
welterusten
wieg

Badkamer/wc
bad
badkamer
bloot
douche
douchen
handdoek
poetsen
tandenborstel
tandpasta
washandje
wasmachine
wassen
water
wc
zeep

Kleren
Algemeen
aankleden
andersom
gat
haakje
kapstok
kleren
koffer
ophangen
opzetten
passen
spiegel
strak
uitkleden
Kledingstukken
broek
trui
T-shirt
rok
jurk
vest
jas
pyjama
hemd
onderbroek
luier
badpak
zwembroek
das
sjaal
hoed
muts
pet
handschoen
want
kous
sok
Accessoires
zakdoek
armband
ketting
knoop
ring

riem
bril
zonnebril
tas
Schoenen
schoen
veter
laars
klomp
pantoffel
slof
Haar
haar
kam
kammen
speld
staartje
strik

Kleuren
blauw
bruin
geel
groen
kleur
oranje
paars
rood
roze
wit
zwart

Knutselen
(Zie ook: School,
Spelen)
blaadje
draad
klei
kleien
kleuren
knippen
krassen
krijtje
kwast
lijm
papier
plakken
potlood
schaar
stift
tekenen
tekening
uitknippen
verven
vouwen

Lichaam
Van mensen
arm
baard
been

billen
bloot
buik
duim
gezicht
haar
hand
hoofd
keel
knie
kont
lip
mond
navel
nek
neus
oog
oor
piemel
plasser
rug
schoot
snor
tand
teen
tong
vinger
voet
wang
Van dieren
bek
kont
kop
poot
snavel
staart

Mensen
Familie
baby
broer
jongen
kind
mama
man
meisje
meneer
mens
mevrouw
moeder
oma
oom
opa
pappa
tante
tweeling
vader
zusje
Beroepen
bakker
boer

dokter
juf
juffrouw
kapper
politie
slager
Verhaalfiguren
boef
clown
kabouter
koning
prinses
reus

Muziek
cd
dansen
fluit
fluiten
klappen
liedje
muziek
radio
stok
toeter
trommel
zingen

School/peuterspeelzaal
(Zie ook: Knutselen,
Spelen)
boek
brief
computer
crèche
juf
juffrouw
klappen
klas
kring
letter
lezen
pen
potlood
punt
rugzak
school
schrijven
verhaal
voorlezen
zandbak
zingen

Schoonmaken
(Zie ook: Huis)
afvegen
afwassen
bewaren
bezem
doekje
kast

kwijt
opruimen
prullenbak
rommel
schoonmaken
spons
spullen
stofzuigen
troep
vegen
weggooien
zak
zoeken

Seizoenen
(Zie ook: Bos, Tuin,
Vakantie, Weer)
Lente
  bloem
  gras
  kuiken
  lammetje
  wei
Zomer
  aardbei
  badpak
  warm
  wesp
  zon
  zwembad
  zwembroek
  zwemmen
Herfst
  blaadje
  boom
  bos
  laars
  nootje
  paddenstoel
  paraplu
  plas
  regen
  regenen
  spin
  waaien
  wind
Winter
  das
  glijden
  handschoen
  ijs
  kachel
  kerstboom
  kerstfeest
  koud
  muts
  pepernoot
  sinterklaas
  slee
  sneeuw
  sneeuwbal

144

sneeuwen
sneeuwpop
stoomboot
strooien
trui
wantje

Spelen
(Zie ook: School,
Vakantie)
Algemeen
  afpakken
  blazen
  bouwen
  kiekeboe
  kietelen
  klap
  kleien
  kleuren
  maken
  omgooien
  plagen
  plakken
  poort
  ruzie
  scheuren
  schop
  schoppen
  slaan
  spelen
  stoeien
  vechten
  verhaal
  verstoppen
  voorlezen
  vriend
Speelgoed
  auto
  beer
  blokken
  boek
  brandweerauto
  doos
  elastiekje
  fiets
  garage
  hijskraan
  kasteel
  kiepwagen
  kist
  klei
  knikker
  knuffel
  kraal
  pistool
  pop
  poppenhuis
  poppenkast
  poppenwagen
  potlood
  puzzel

raceauto
schep
speelgoed
spelletje
step
sticker
toren
touw
verf
Speeltuin
  bal
  ballen
  fietsen
  glijbaan
  gooien
  klimrek
  rijden
  schommel
  speeltuin
  sturen
  vangen
  voetbal
  voetballen
  wip
  zand
  zandbak
  zwemmen

Tuin
(Zie ook: Dieren)
  appelboom
  bloem
  boom
  buiten
  emmer
  gieter
  gras
  groeien
  hek
  plant
  rups
  schep
  slak
  spin
  spuiten
  tuin
  water
  wesp

Vakantie
(Zie ook: Seizoenen,
Spelen, Vervoer)
  badpak
  berg
  boot
  caravan
  dierentuin
  draaimolen
  emmer
  foto
  koffer

rugzak
schelp
schep
strand
tent
vakantie
vakantiehuis
varen
vuur
weggaan
zee
zwembad
zwembroek
zwemmen

Vervoer/verkeer
Algemeen
  achteruit
  benzine
  botsen
  brand
  fietsen
  gevaarlijk
  oppassen
  oversteken
  politie
  rails
  rijden
  steen
  stoep
  straat
  sturen
  stuur
  tanken
  uitkijken
  varen
  voorop
  weg
  wegrijden
  wiel
Vervoermiddelen
  auto
  boot
  brandweerauto
  brommer
  buggy
  bus
  caravan
  fiets
  helikopter
  motor
  stoomboot
  tractor
  tram
  trein
  vliegtuig
  vrachtauto
  ziekenauto

Weer
(Zie ook: Seizoenen)
  donker
  ijs
  licht
  lucht
  maan
  modder
  nacht
  paraplu
  plas
  regen
  regenen
  sneeuw
  sneeuwen
  ster
  waaien
  wind
  wolk
  zon

Ziek
  bloed
  buikpijn
  dokter
  dood
  dropje
  hoesten
  huilen
  pijn
  pil
  pleister
  prik
  prikken
  snuiten
  stoten
  tandarts
  verkouden
  zakdoek
  ziek
  ziekenauto
  ziekenhuis

Zindelijkheid
  billen
  drukken
  luier
  nat
  piemel
  plas
  plassen
  plasser
  poep
  poepen
  potje
  stinken
  wassen
  wc